O SOM DO RUGIDO DA ONÇA

MICHELINY VERUNSCHK

O som do rugido da onça

12ª reimpressão

Copyright © 2020 by Micheliny Verunschk

Grafia atualizada segundo o Acordo Ortográfico da Língua Portuguesa de 1990, que entrou em vigor no Brasil em 2009. As transcrições históricas obedecem à pontuação original.

Capa
Alceu Chiesorin Nunes

Ilustração de capa
O clã das onças, acrílica sobre papel de Jaider Esbell, 2020, 29 x 21 cm, coleção particular, reprodução de André Hauck.

Preparação
Ciça Caropreso

Revisão
Renata Lopes Del Nero
Nana Rodrigues

Os personagens e as situações desta obra são reais apenas no universo da ficção; não se referem a pessoas e fatos concretos, e não emitem opinião sobre eles.

Dados Internacionais de Catalogação na Publicação (CIP)
(Câmara Brasileira do Livro, SP, Brasil)

Verunschk, Micheliny
    O som do rugido da onça / Micheliny Verunschk. —
1ª ed. — São Paulo : Companhia das Letras, 2021.

    ISBN 978-65-5921-021-3

    1. Ficção brasileira I. Título.

20-52750   CDD-B869.3

Índice para catálogo sistemático:
1. Ficção : Literatura brasileira B869.3

Cibele Maria Dias - Bibliotecária - CRB-8/9427

Todos os direitos desta edição reservados à
EDITORA SCHWARCZ S.A.
Rua Bandeira Paulista, 702, cj. 32
04532-002 — São Paulo — SP
Telefone: (11) 3707-3500
www.companhiadasletras.com.br
www.blogdacompanhia.com.br
facebook.com/companhiadasletras
instagram.com/companhiadasletras
twitter.com/cialetras

Para Theo, que nomeou esta história, e para Nina, que traz no rosto a nossa herança. Meus iauaretês.

Para Raoni, a Onça.

Quando Niimúe criou o mundo, o fez a partir de seu próprio corpo. O mundo é esse ser gigante que mal distinguimos se estamos distraídos, mas que se apurarmos a vista encontraremos em seus detalhes. Há uma elegância no mundo por vezes despercebida na pressa com que as pessoas vão se acostumando a viver. Em seus cabelos se emaranham de igual modo os fios de fogo, de água, de vento e de ar. Em seu rosto se incrustam jaguares e macacos, ratos e antílopes, formigas e quatis, beija-flores e serpentes, todo sortimento de animais que conhecemos, além daqueles que desconhecemos, os animais sem nome, ainda não descobertos, não catalogados, sem taxonomia, os animais desaparecidos. Uma gigantesca jiboia circunda a cintura do mundo e se fecha, engolindo a si própria. Inhames, batatas e macaxeiras calçam seus pés, trepadeiras, troncos, cipós, orquídeas e flores de diversas cores e formatos conformam-se em peitoral, braços, pernas, sexo. Em suas unhas escarpadas de rochas e cristais irrompem folhagens ora miúdas, ora de formidável tamanho, abrindo fendas em seus corações minerais. O sexo do mundo é instável, ora macho, ora fêmea, ora macho e fêmea, ora algo que não podemos definir com palavras, esse meio insustentável para a mensagem. A aparência do mundo é também instável. Muitas vezes seu rosto se afigura como que feito de legumes e frutas, árvores milenares irrompem de protuberâncias na testa, como chifres. Muitas vezes assume o aspecto de uma grande e dessemelhante ave. Seus olhos, no entanto, são sempre faíscas multicoloridas.

Niimúe ofereceu sua criação aos primeiros donos, os animais primordiais. É com eles que as pessoas precisam negociar para comer, para beber, para construir casas, edifícios, iglus, taperas, malocas, favelas. É a eles que se deve prestar contas do minério extraído até que a terra vire ferida em crosta, das caldeiras explodidas, dos carburadores entupidos, dos rios envenenados e das minúsculas partículas de plástico que incham no ventre dos oceanos. É a eles que deveremos prestar contas. E eles cobrarão.

| da cosmovisão miranha |

1.

No princípio eu era de carne e estava na terra.
| Isabela Figueiredo, *Caderno de memórias coloniais* |

I

Foram muitos de muitos dias por mar e terra. E o tempo em que eles estiveram no mar foi de medo, fome, doença. O mar, eles não sabiam, se afigurava como um grande ajuntamento de todos os rios, que os assustava com sua boca enorme, seu rugir mesmo na calmaria, sua respiração de bicho surdo e feroz por baixo de seus pés. Estremeciam. Tanta água não, nunca haviam conhecido, um espírito assustador em sua baba salgada, esturrando, mas onça é que não. Por vezes o próprio céu invertido em água. Sob seus pés, água que corria, despropositada jiboia; acima da cabeça deles, água exata em ferir, talvez borduna ou flecha em vertiginoso voo. Às vezes, sobre seus corpos, a água em cristais polidos, muito frio, coisas que cortam e matam.

Nenhum deles nunca vira um rio que falasse tantas águas, rio sem margens. Em nenhum dos rios que conheciam, tanta fúria, tanto mistério. Nem o Paranáhuazú, a mãe de todos os rios, a quem os brancos chamam de Amazonas, aquele que guarda o mundo que existe para a vida que se vive depois de morrer, nem ele se apresentava tão perigoso, tão ameaçador. Outrossim, cruzar aquela água infinita e perturbada, imenso rio sem margens, certamente era morrer sem chegar ao lugar dos antepassados. E embora o medo corresse por seus ossos e os fizesse tremer, havia ainda que a grande fera era mesmo a embarcação e aquilo que a colocava em movimento, a carne bruta e ameaçadora dos marinheiros, a força invisível, liame que lhe dera ânimo de existir e que permitia, no intestino do porão, a ânsia, o vômito, a merda já esverdeada e líquida que o lavava e rescendia a podre e, ainda, os insetos e ratos, pragas que alimentavam todo sortimento de moléstias.

O navio, pois bem, grande canoa da morte. Pessoas, plantas, bichos, macacos, kdiziba, tatus, gooi, tamanduás, heehi e, ainda, os Desencantados. Como chamá-los? Iñe-e pudera observar ainda em terra os cientistas em seu trabalho de desencantamento. E logo percebera que não se tratava apenas de matar o bicho. Era outra atividade. Primeiro, levavam sua alma para a pele do papel em tão perfeita conformidade que seria possível dizer que o bicho rastejaria, caso fosse cobra, ou voaria, caso fosse pássaro, para fora daquele frágil limite. Depois, o desencantamento prosseguia. E morrer era só uma parte muito pequena daquilo tudo. O bicho, o bicho mesmo, em força e sangue, era tornado em nada depois que tudo se dava por encerrado. Morto e destripado, o bicho era limpo, sendo raspada da pele a carne já desprovida de poder, e o corpo esvaziado de tudo o que tinha sido um dia, restando um saco mole e triste, que só depois seria reconstruído com palha ou qualquer tipo de enchimento que servisse, recebendo, pouco a pouco, a antiga forma, e sendo assoprada nele aquela outra cara, aquele outro corpo, aquela boca que, aberta, não mais comeria; que, fechada, não mais se abriria: e era daí que surgiria o novo bicho, o outro bicho, muitas vezes inventando um movimento que nunca poderia terminar, endurecido em uma posição, salto ou bote que a partir daquele momento jamais poderia se extinguir. Aos olhos de Iñe-e o desencantamento era uma coisa verdadeiramente assombrosa.

    Que vida a deles, a dos Desencantados!

    Iñe-e observava tudo aquilo com temor e, se em cada um daqueles bichos procurava uma voz, um movimento, procurava neles também reconhecer os olhos da mãe, do irmão, de qualquer parente que ficara para trás, como se isso fosse possível. Procurava neles até seus próprios olhos. Perguntando dentro de si mesma:

Será assim que tudo vai acabar? Iñe-e paralisada, fixada na mesma posição, eternamente, talvez com um olhar triste, talvez com um olhar surpreso, talvez com um sorriso ao mesmo tempo impassível e engraçado, ou quem sabe lábios apertados um contra o outro, numa tristeza capaz de embaraçar quem venha a me observar em qualquer tempo? E essa larga viagem, em que me levam, é também uma viagem de desencantamento, de destripamento?

Eram coisas que ela se perguntava como se já soubesse quais seriam as respostas, antevendo seu retrato na parede branca de um museu visto por centenas de pessoas que não a conheciam, que não sabiam seu nome ou o que sentira no dia em que seu captor se postara diante dela com material de desenho e tintas, muito pronto para roubar a sua alma e obrigando-a, quando já não era mais natural, a se despir. Pessoas que, mirando seu olhar cabisbaixo, ignoravam que muito dela ainda permanecia ali.

Na tarde em que vira uma grande onça destripada no terreiro, o coração se tornara muito pequeno dentro do peito, minúsculo coração de pássaro sem penas, reduzido a presa caída do ninho. Naquele dia, entre raiva e dor, chorou por si mesma pela primeira vez.

II

Esta é a história da morte de Iñe-e. E também a história de como ela perdeu o seu nome e a sua casa. E ainda a história de como permanece em vigilância. De como foi levada mar afora para uma terra de inimigos. E de como, por artes deles, perdeu e também recuperou a sua voz. Preste atenção, essa voz que eu apresento agora não é a mesma voz que ecoava pela mata chamando pelos seus irmãos mais velhos enquanto colhia frutas para levar para a maloca. E muito menos é a voz que foi silenciada por baixo das tempestades e dos gritos do capitão, a voz abafada por vergonha das imprecações incompreensíveis dos cientistas e, depois, contida pelos risos nervosos dos cortesãos e pela impaciência rude das *Fraülein*.

Tampouco é a voz que ignorou o que diziam sobre ela os jornais e as revistas da época, as cartas escritas em letras flexíveis como o broto do cipó. Essa voz que você ocasionalmente escutará em sua cabeça e que se confundirá com a sua própria voz, ou com a voz da sua filha, ou da criança da mulher vizinha, ou até, quem sabe, com a voz de sua avó, seja ela quem for, não é a mesma voz com que Iñe-e nasceu. Não é aquela que virou pedra em sua garganta quando ela foi viver no grande castelo entre pessoas quase transparentes de tão brancas, suas carnes moles e azedas se movimentando por entre os panos coloridos e brilhantes que, embora bonitos, não poderiam disfarçar o feiume dos seus captores, seus cabelos, a maioria desbotados, carecendo da beleza esplendente que a tinta negra do huito pode dar. Também não foi aquela voz que ela escondeu, tesouro muito bem guardado, para que os inimigos não tivessem nada mais dela.

Empresta-se para Iñe-e essa voz e essa língua, e mesmo essas letras, todas muito bem-arrumadas, dispostas umas atrás das outras, como um colar de formigas pelo chão, porque agora esse é o único meio disponível. O mais eficiente. E embora ela, essa língua, seja áspera, perfurante, há alguma liberdade sobre como pode ser utilizada, porque houve muito custo em apreendê-la. Assim, se há uma recusa em usar a palavra taxidermia e se escolhe usar a palavra desencantamento, há teimosia nisso. E pode ter certeza de que Iñe-e aprovaria esse recurso. Se, em lugar de rio, ela falar muaai ou até *Fluss*, pode se tratar de uma admoestação a respeito do que lhe fizeram. Para contar esta história, Iñe-e adverte que não é possível ser tolerante. Ademais, usa-se essa voz e essa língua porque é com ela que se faz possível ferir melhor. É possível envenená-la, zarabatana, como fazem os guerreiros do povo miranha com o curare preparado com o suor e sangue de suas mulheres. É possível incendiá-la, curare quente e amargo. E de todo modo, como já se disse, é possível usá-la como se quiser.

Essa é a voz do morto, na língua do morto, nas letras do morto. Tudo eivado de imperfeição, é verdade, mas o que posso fazer senão contar, entre as rachaduras, esta história? Feito planta que rompe a dureza do tijolo, suas raízes caminhando pelo escuro, a força de suas folhas impondo nova paisagem, esta história procura o sol.

Quando Iñe-e morreu ela estava com doze anos de idade. Então, essa é a voz da menina morta. E se alguém perceber nela um acento rascante, e acaso a confundir com uma voz muito velha que se eleva de uma sepultura congelada, garanto que é da infância que essa voz brota, nasce e se levanta. E toda voz da infância, sabe-se, é selvagem, animal, insubordina os sentidos.

E agora que já se sabe, sigamos pelo começo de tudo. Por aquilo que foi determinado como o começo de tudo. E embora alguém possa refutar e dizer que esta história começou com um rei que, com o bisaco cheio de moedas da ávida burguesia, resolveu lançar-se ao mar, aquele mesmo, o Tenebroso, eu desminto e digo que tudo começou mesmo em Iñe-e.

III

A mulher se reclina. Seus olhos e seus ouvidos se colocam a postos. Sua boca aberta recebe o hálito que atravessa as folhas das árvores, os animais, que tocara a pele de todas as mulheres antes dela. Ela está no centro da maloca, e a maloca é o ventre do universo, e a barriga dela, o centro do mundo. Sobre o telhado, o céu rebrilha de estrelas, crânios muito alvos faiscando eternamente. Então ela começa a gritar seu suor de seiva e sangue. O trabalho dos ossos do quadril se afastando como pedras que há muito assentadas não resistem à imposição violenta das águas. Ela sente as dores em ondas que vão e vêm em fluxo e refluxo, e enfim seu canal se dilata totalmente para a passagem dos rios, primeiro o rio que traz um menino, depois o rio que traz uma menina.

São todos os rios que chegam naquela noite, todos os braços e pernas do Japurá, todas as águas do Paranáhuazú, cujo nome ancestral é *Deus que fala todas as línguas*. E, conforme o trabalho das dores rasguem o breu, nascem a menina e seu irmão. Ela, uma criança mirrada, mas de olhos bem abertos e com uma pequenina boca vermelha como o fruto do buritizeiro e, por esse motivo, é chamada de Iñe-e pelo velho avô, o xamã. Está destinada a crescer e a aprender os ritos das comidas, os usos da açacurana, o preparo do curare. O irmão, em tudo igual e diverso dela, nasce destinado à guerra e, por seu grito, como que de trovão, Tsittsi é chamado. E recebe, do velho avô, um dente de onça do seu colar. A onça, sim, inimiga do seu povo, mas a quem devem temor e respeito por ser a Dona da Caça, aquela que lhes permite viver em seus domínios.

Iñe-e cresce escutando a história do seu nascimento e do nascimento do irmão fluindo, como a água de onde veio, da boca de sua mãe. É uma das histórias que mais lhe agrada ouvir, mais do que a de Juziñamui, o devorador de gente, mais do que as histórias do quebradão das antas, mais do que o episódio da tartaruga que chorava por não poder chupar os testículos do tuxaua que havia morrido e que arrancava risadas de todos os ouvintes, moços e velhos. Escuta também como surgiu a desconfiança que o pai passou a ter dela quando, ainda muito pequena, se desgarrou das mulheres que preparavam a yuca e ficou horas desaparecida. Somente a encontraram no fim da tarde. Quando as esperanças de vê-la viva novamente se esvaíam, os parentes a avistaram à margem do rio, em companhia de uma enorme onça; Iñe-e de cócoras, Tipai uu, a onça, a seu lado, a cauda batendo ritmadamente de um lado para o outro, como quem espera, como quem vela, tendo deixado a criança intacta e segura até a chegada do seu povo, quando então foi embora. Naquele dia, o entendimento do pai dizia que a filha, por haver se ajuntado em pacto com a inimiga, mesmo sem ter ciência do que havia de fato acontecido, era agora inimiga como a onça. Muito embora o velho avô a tenha benzido em proteção dos donos dos animais no instante em que nascera, o pai acreditava que o evento era um sinal de maldição.

    Ela um dia se transforma e nos devora a todos, como Nonueteima se transformou em jaguar, acusou o pai certa vez, deixando a mãe entre irritada e amedrontada pelo destino que via se desenhar para a filha. Para o avô, aquele ódio não estava certo, o encontro da menina com a onça cintilava como uma dádiva quando ele consultou a sabedoria da coca a respeito. Mas mesmo isso não conseguia retirar a cisma do coração do filho, cujas fibras embranqueciam a cada contato com os estrangeiros, o que era, de fato, e o velho sabia, uma verdadeira desgraça.

Alheia a esses embates, a menina ia seguindo a vontade de crescer e, ademais, a cisma ou a raiva do pai eram inconstantes. Ora recrudescendo com uma nova implicância, ora adormecendo como se nunca tivesse existido. Ela não sabia se gostava de ter sido onçada por Tipai uu, mas em seu coração sabia que, por outro lado, não desgostava. Onça voa de um grande salto, onça engana os melhores caçadores, onça esturra enchendo a mata de reverência e temor, onça enterra os dentes no cangote do inimigo. Ela pensava, em pensamento desarrumado de criança pequena, pensamento que ia guardando muito bem guardado, que talvez algum dia haveria de ter alguma serventia ter feito pacto com onça.

Quando a menina completou sete anos, o avô decidiu levá-la às festas de Yurupari, o Dono das Frutas, quando meninos e meninas são colocados diante do Esawámina, para talvez serem escolhidos em uma missão de grande responsabilidade. Entre o povo dela, meninas e meninos tinham a mesma honra de ser escolhidos. Assim, ao som das trompas e flautas, Iñe-e foi uma das crianças eleitas, e por isso deveria mirar Yurupari por sete vezes para que, quando completasse doze anos, se convertesse em curadora do corpo e do espírito, vendo aquilo que ninguém mais poderia enxergar.

IV

A vida é o tempo que segue correndo, Iñe-e aprendeu. Até que se deu a chegada daquele homem desconhecido. Ele viera em uma grande comitiva como se fosse um grande chefe. Havia três montarias, um pequeno séquito de escravos, caçadores e pescadores a seu dispor, e muitos outros homens, entre eles um parente e um outro branco já conhecido do povo miranha. Esse branco, sempre com as armas postas na cintura, era muito animado, falador, conhecedor da floresta e das gentes de origem dela. Uma comitiva de muitas canoas fora anunciada dias antes pelos vizinhos, mas a embarcação do desconhecido, que era a principal, veio coberta de folhas de tamarica, para protegê-lo do sol, e só isso já indicava sua importância. Doze homens remavam para ele, uns da nação dos coerunas e outros da nação dos macunás. O homem que era como um grande chefe tinha um aspecto lastimável, por estar doente parecia que houvesse sido banhado na tintura rubra do achiote. Picadas dos carapanãs formavam calombos em seu corpo, e Iñe-e achou que aquele era um homem muito feio.

O alvoroço do povo reverberava no estampado das chitas, no chiado das miçangas, no tilintar dos troços de metal. Algumas crianças que de primeiro foram arredias agora cercavam os visitantes com seus olhos curiosos, admirados, e a presença daqueles homens monopolizava o cochicho das mulheres, ao mesmo tempo que dobrava a ocupação delas no preparo das comidas. Os homens agora tocavam os trocanos em resposta aos moradores adjacentes, anunciando que os brancos chegaram bem, que o principal deles repousava por causa da febre, que os subordinados estavam comendo, que todos eles estavam dançando, que vieram interessados em fazer negócios lucrativos.

O homem de aspecto lastimável é cuidado com beijus, sopa de yuca, água fresca e frutas até que a moléstia dê uma trégua a seu corpo. O velho avô faz o seu trabalho de cura com as ervas. E tão logo o branco se recupera, aqueles se tornam verdadeiramente dias de festa. Inaugurando um novo costume, a mãe de Iñe-e e Tsittsi recentemente havia sido repudiada e trocada por uma mulher mais jovem e mais alta pelo seu pai, o tuxaua. Temerosa do que poderia significar aquela perda de posição, recomendara, desde a chegada dos estrangeiros, com voz trêmula, que a filha mantivesse distância daqueles homens, especialmente quando estivessem tratando com o pai. Suas mãos trançando o fio de buriti em exato movimento de dedos em dança; seu coração, porém, palpitando, bambo. Igual recomendação lhe fez o avô, que por sua vez parecia mais encarquilhado e até tristonho.

Alguns dias depois de sarado, o branco partiu para as cachoeiras do Araracoara, e o pai se embrenhou com os guerreiros em busca dos escravos que o homem encomendara. Quando o tuxaua regressou, trazia alguns poucos homens, muitas mulheres e várias crianças. Eram crianças que aquele branco queria, Iñe-e ouviu o avô dizer a outro velho. Porém, na noite em que o tuxaua e o branco negociavam, Iñe-e ficou mais próxima do centro daquelas transações do que deveria. Ouviu o pai rir muito alto. Ouviu a voz do branco vexada, vacilante. Antes era costume que seu povo trocasse com os brancos apenas os inimigos e os órfãos dos inimigos por mercadorias variadas e ferramentas de trabalho. Mas, desde que esses negócios com os estrangeiros se haviam tornado mais constantes, muitas coisas tinham mudado, e alguns dos seus modos e hábitos começaram a se entranhar no tuxaua, o pai de Iñe-e, que se barbeava como eles e que passara mesmo a usar calça comprida e até uma casaca que a menina achava esquisita e feia. Ocasionalmente o pai até dizia palavras na língua dos brancos, a maioria das quais ele mesmo desconhecia o significado. Em uma de suas viagens fora batizado por um frade e desde então exigia ser chamado de João Manoel.

Iñe-e escutara uma vez as mulheres, sua mãe entre elas, dizendo que o pai pegara a doença dos brancos e que estava se tornando um estrangeiro em sua própria nação. Mas os guerreiros mais velhos e mesmo os jovens pareciam estar todos de acordo com ele, e o povo miranha se congratulava pelas trocas que o chefe se empenhava em realizar. Foi assim que nos últimos tempos as crianças órfãs e mulheres do seu povo haviam virado moeda também, e por isso a mãe e o avô de Iñe-e temiam as visitas dos brancos, especialmente por causa dela, e tentavam escondê-la dos olhos do pai, como se isso o fizesse esquecer de sua existência. Mas todos os esforços se revelaram inúteis. Não havia nenhum esconderijo a seus olhos, nada e nem ninguém que o impedisse.

Uma manhã em que o sol se levantou do mesmo jeito que sempre se levantava, e em que a mata falava sua língua do mesmo modo com que sempre falava, nada denunciava o que estava por acontecer. O pai de Iñe-e e o estrangeiro, que atendia pelo nome de Martius, firmaram acordo sobre a venda de sete crianças. Mas o homem branco deixaria o porto dos Miranhas levando consigo oito vidas. Iñe-e lhe fora dada como presente.

v

Na sala, a TV ligada transmite a imagem de um cacique de cabelo longo. O cacique olha para a câmera e diz:

Não sei o que vocês vão fazer com a minha imagem. Eu não aprovo isso. Vocês mentem. O homem branco não liga para nós. Eu odeio todos vocês.

Josefa tem uma xícara de café entre as mãos e um xale nos ombros. Do lado de fora do apartamento, a tempestade parece falar de um outro mundo, um mundo grandioso, de ventos cortantes, de folhagens largas se agitando em um diálogo que se avoluma intraduzível, um mundo que não parece aderir ao tempo que se impõe entre as paredes do apartamento, sob a luz que emana da televisão e o desenho do corpo do rapaz que, a seu lado, também tem uma xícara entre as mãos, os dedos arqueados contra a cerâmica quente, as unhas roídas. Por um instante, como se adentrasse num estado de sonho, é como se ela mesma pudesse estar dentro e fora, como se fizesse parte da chuva que cai com todos os seus ruídos sem deixar de ser uma mulher sentada ao lado de um homem. Os barulhos do mundo de fora abafam o som da televisão por um instante, quando na tela surge outro cacique, Raoni, trazendo a cabeça adornada por um cocar de penas amarelas, coroa refulgindo ao sol, ou quem sabe o próprio sol, advertindo que quem é da guerra na guerra morre.

E eu vou matar vocês, diz Raoni com sua voz de jaguar.

A chuva forte escorre pelas ladeiras do espigão paulista, trovões e relâmpagos restrugem e iluminam a noite com tamanha potência que tornam as luzes da metrópole diminuídas, insignificantes, o rio Xingu ameaçado pela construção da hidrelétrica e suas barragens parece pulsar para além da TV na chuva que se estilhaça, violenta, pelo asfalto.

Que tempestade!

É, são as ruas querendo voltar a ser rio. Outro dia morreu um rapaz afogado, você imagina?

Ah, eu ouvi falar. Lá na Cardoso de Almeida, não é?

A imagem de alguém morrendo afogado no meio da rua de uma grande metrópole parece perturbar os dois, e a conversa morre abafada pela zoada da chuva, e as vozes dos caciques, ativistas e antropólogos tornam-se de novo inaudíveis. Os corpos jovens e perfeitos de guerreiros numa luta corporal tomam a tela, os adornos coloridos em torno das cinturas os metamorfoseiam como que em jiboias ou jaguares, ou mesmo troncos de árvores que por algum desvio da natureza pudessem estar simultaneamente plantados e se movendo uns contra os outros. Uma menina pequena com um colar de vários fios azuis, que uns diriam azul-real e outros azul cor da plumagem da arara-canindé, dança no terreiro.

Iñe-e é perscrutada pelo olhar de Martius. Ele investiga o tom marrom-pálido, isabelino, como diz, da pele dela, o brilho do cabelo negro, as sobrancelhas finas e salientes, o repuxado dos olhos. No peito de Iñe-e começam a despontar seios em dois pequenos brotos. Eles latejam, às vezes, como se fagulhas a habitassem por baixo da pele. A menina resplandece sob o sol, contra o verde da paisagem. É vivaz. Um pouco antes, no terreiro, corria com os companheiros, e nenhum a alcançava. Martius agora a examina. Com os dedos ergue seu queixo. O contorno da boca é elegante, uma pequena depressão se insinua logo abaixo dos lábios inferiores. A menina se incomoda, seu desconforto se traduz nas mãos que torce nervosamente, nos pés que pesam o peso de uma montanha, quando tudo o que quer é fugir. Fosse onça, modularia um grunhido de advertência, um grunhido sibilado, o ar saindo pelas laterais da boca, as presas se erguendo e se mostrando, inequívocas. O homem lhe diz alguma coisa, mas ela não entende. Não quer ouvir. Quando ele se afasta um pouco, Iñe-e recobra os sentidos e corre, indo se esconder na maloca, entre as pernas da mãe. Martius anda pelo descampado, observa outras crianças e jovens. É um homem magro e abatido, curtido de sol e febre, rosto e mãos cobertos de abscessos das picadas dos insetos, braços feridos por espinhos. Um homem quase envergado pelo sertão e pela floresta. Iñe-e o detesta.

    Josefa se levanta, arruma o xale, olha pelo vidro da janela o rio que a chuva fez descendo borbulhante ladeira abaixo. Mais tarde, enquanto a madrugada impõe um ritmo mais compassado para as águas em queda, e o corpo de Tomás cercado de sombras e de pequenas claridades se figura como um animal adormecido, ela rememora lugares do seu passado. Primeiro, a rua de sua infância, a casa da avó em Belém, os meninos de bicicleta rondando a entrada, esperando que estivesse desacompanhada para disparar pequenas obscenidades, se aproximando demais do meio-fio se ela estivesse desacompanhada no jardim. Um dia dois deles pararam e um perguntara, em tom jocoso, se ela não queria ser montada por ele, como a bicicleta, ao que o outro observara que era possível, pois ela já tinha peitinhos. Não soube de imediato o motivo pelo qual a insônia remoía aquela memória distante, que ia e voltava entre outras lembranças desconexas e urgências dos próximos dias, algumas contas por pagar, decidir se se inscreveria em um programa de pós-graduação, finalizar um frila. Depois lembrou a discussão que tivera com um médico em uma emergência em que aguardava atendimento quando não tinha mais que dezesseis anos. O homem achara de destratar uma mulher franzina e com a aparência exausta e pobre, cujo filho estava queimando de febre, porque esta ousara sugerir: será que é coqueluche, doutor? A tia, que a acompanhava, ficara mortificada por ela haver pedido que o médico tivesse mais educação e respeito. De repente identificou nesse episódio aquilo que era capaz de lhe roubar o sono, o retorno do olhar entre mortificado e acusatório da tia, que a culpava pelas injúrias dos meninos, por ela não se refrear diante da autoridade, um olhar que a afirmava ora como sonsa, ora como estúpida. Do que a culpava mesmo? De ser bugra demais, se bem lembrava. Aquele sentimento, quando difuso, era um carrapato inchado de sangue. Mas quando posto a descoberto, murchava. E foi então que ela conseguiu algum sossego, o que naquela madrugada avançada se traduziu num sono incapaz de ser reparador.

VI

Quando o velho avô, no centro da maloca, reunia os mais novos para que escutassem os ensinamentos, ele sempre começava dizendo o quanto a palavra era importante para o povo.

Sem palavra não poderíamos ser gente. Nosso povo recebeu a palavra de vida do criador, e isso nos diferencia dos bichos. A dos bichos é a outra palavra.

Quem não tem a palavra está morto, foi o que Iñe-e e os outros aprenderam. Os mais velhos mascavam a palavra nas folhas de hiibii, a coca, e os mais jovens esperavam que chegasse a sua vez de mascá-la e receber a linguagem do sumo das folhas. Porém, para Iñe-e, o certo é que esse tempo não chegaria nunca. Colocada em uma fila com os órfãos de povos inimigos, de nada adiantaram os pedidos e lamentos da mãe, a briga do avô em sua defesa. Iñe-e foi levada, e a mãe ficou para trás como um bicho tristonho, cabisbaixa e andando em círculos. O avô se entristeceu de morte. Tsittsi se embrenhou na floresta. Sabiam que nunca mais voltariam a ver a menina. Iñe-e se tornara presa do desconhecido.

A travessia do rio foi confusa e dolorosa, as lembranças da vida que ficara para trás deixavam o corpo da menina como que dormente, e ela se perguntava se saberia como voltar para casa, porque de algum modo imaginava que conseguiria regressar. Mas, até lá, o que seria dela, sem a mãe, sem os parentes, sem a vida que conhecera? Seu coração se fechava como a noite se fecha sobre a floresta, trazendo medo, uma sensação sombria e aterradora de que ela se extraviara e que daquela vez não haveria uma onça para protegê-la até que estivesse novamente em segurança. Sem proteção, ela sentia que a escuridão a engoliria.

Duas das crianças mais novas choramingaram a viagem inteira. As demais, embora imersas em si mesmas, em silêncio, estavam visivelmente abaladas. Martius, por sua vez, parecia feliz. Ele as olhava como que maravilhado, e seus olhos claros pareciam verdadeiramente os de alguém que fosse bom, e esse era precisamente o engano, sabia a menina.

Como pode ser bom alguém que compra outras pessoas? Que as leva para longe dos seus parentes? Eram as perguntas que Iñe-e remoía dentro de si mesma.

Antes de todos aqueles eventos, é certo que ela não pensava nos inimigos e em seus filhos como iguais, e parecia correto o costume de serem vendidos ou trocados. Era a natureza da guerra. Apenas quando se viu entre eles, dentro de uma canoa cercada de estranhos, rio afora, é que começou a perceber que não havia afinal muitas coisas que os separassem; que se, afinal, dividiam o mesmo destino, outras coisas também poderiam aproximá-los. Estavam todos amedrontados, cansados, confusos. E seus pensamentos não eram exatos como o curso do rio antes da cheia; eram sentimentos que se depositavam uns sobre os outros como cascas de coquinhos amontoadas, coladas pelo grande espanto de que aquilo estivesse mesmo acontecendo.

Sem falar o nheengatu ou o português, apenas as línguas que aprenderam com suas mães, só conseguiam falar entre si as crianças pertencentes ao mesmo povo, de modo que nenhuma delas falava com os homens ou poderia compreendê-los para além dos gestos irritados com que eram tangidas. Iñe-e e um menino do povo juri não tinham com quem falar.

Tão logo chegaram à barra do rio Negro, a menina percebeu que havia outro chefe além de Martius. Spix era seu nome. De olhos claros e cabelo encaracolado, o homem tinha um aspecto quase infantil, mas a infância que restava nele era sem dúvida uma infância fragilizada, abalada por um sofrimento físico intermitente que o deixava todo opaco, como algo novo que se vira precocemente inutilizado. Spix, um homem claramente doente e combalido, tanto que ela pôde enxergá-lo morto antes mesmo que assim estivesse, recebeu-os com uma expressão de espanto e mesmo reprovação. Acariciou a cabeça do menorzinho de todos, um afeto que espantou as outras crianças. Iñe-e não se impressionou com nada, estava cansada e irritada.

Ambos os cientistas eram homens considerados muito sábios pelo povo dela, coisa que Iñe-e não sabia nem conseguiria entender. Entre os seus parentes era preciso ser bem mais velho e experiente para ser considerado alguém com ciência das coisas deste e de outros mundos, o mundo das plantas, dos bichos, dos espíritos e encantados. Aqueles dois, porém, não figuravam aos olhos dela como capazes de grande sabedoria. O juízo que fazia deles não a impediu de perceber que os dois eram gentis, diferentes da maioria dos brancos que conhecera até ali, estúpidos, violentos. Esse era um fato até desconcertante para ela. No entanto, apesar das amabilidades e dos modos suaves, Iñe-e tinha em mente que não passavam mesmo de inimigos impuros.

VII

Martius está onde desejou estar: primeiro, na borda da floresta; depois, regressando para sua terra a fim de colher os frutos de sua sorte. Cresceu entre as boticas e os escritos do pai farmacêutico e professor, fascinado pela química que ora repousava, ora borbulhava na vidraria do gabinete, seduzido pelas propriedades do cártamo aromático, do ruibarbo e das gomas fétidas. Na mesma medida em que se deslumbravam com o feito do tio, que compilara uma história da flora da cidade de Moscou, os olhos do menino Carl se abriam em um redondo espanto quando o pai repetia as histórias do antepassado italiano, Galeotto Martio, homem da Renascença, perseguido e torturado pela Inquisição por causa de suas ideias, que, resumidamente, cabem no preceito de que a ignorância é o verdadeiro pecado máximo.

Galeotto, um fanfarrão. Um fanfarrão brilhante, é certo: escapou de padres assassinos na Itália e migrou para a Hungria, onde acabou novamente se metendo em confusão ao trocar bofetões com um teólogo, e, de lá, julgado à revelia e ameaçado de nova excomunhão, partiu para a Alemanha, que é esta terra aqui, onde, de ciência em ciência, de trepada em trepada, chegamos a esse escarafunchador, Martius, o cientista da floresta. Em meio a tantos feitos considerados gloriosos e dignos de entrar para a história dos homens, o jovem Carl decidiu começar pela medicina, o que foi visto com muitos bons olhos pelo pai e acabou por lhe render certo renome quando não passava ainda de um frangote. Entretanto, a atração pela botânica o impeliu a sair do gabinete. Sentiu verdadeiramente o chamado vindo das plantas, disso não restam dúvidas.

Ao andar nos bosques, não raras vezes as folhas, no

alto das árvores, pareciam acenar para o rapaz, e ele perguntava a si mesmo o que as plantas poderiam lhe comunicar sobre os mistérios da natureza e da vida. Já por essa época, escrevia poemas, é certo, mas nem naquele tempo nem agora é como poeta que deseja reconhecimento, que pensa em se colocar em pé de igualdade com o pai, o tio, o ancestral famoso. É ambicioso. Quer seu nome escrito em letras douradas nos capítulos do século em que vive, quem sabe nos séculos vindouros. E é por conta desse sonho de grandeza e pelo desejo de ciência que parte com o carola ruivo do Johann Spix na empreitada de desvelar para a Europa um dos segredos mais bem guardados dos últimos trezentos anos, as maravilhas do Brasil. Ninguém imaginava que voltaria como um ladrão de crianças. Certamente não entendera direito aquilo que ouvira em seus passeios e enlevos pelos bosques da Baviera.

VIII

O papel suporta qualquer coisa que se deseje. Martius sabe. Suporta o desenho e o poema, o sonho de liberdade e o medo, a cobrança e o pagamento da dívida. A palavra escrita permanece, eis no que acredita, e por sua permanência está convicto de que ela se confirma como superior à voz, que se dissipa, que se perde tão logo é proferida. É preciso ter, portanto, cautela com o que se escreve. Medir cada palavra, encontrar as vestes que lhe cabem com exatidão, corrigir, reescrever, remendar as falhas. Então, Martius escreve primeiro para suplantar a limitação da memória, a evaporação da voz, depois pela obrigação com o rei e principalmente para se convencer e convencer aos outros. Como se não tivesse ido ao porto dos Miranhas negociar pessoas em desacordo com Spix, ele documenta o seu desejo de verdade.

"Sem dúvida, o tuxaua não atribuiu a minha vinda aqui com outro motivo que negociar prisioneiros; custou-lhe, portanto, a compreender, quando lhe ofereci pelo ornamento de penas, pelas armas e por uma bela samambaia, tantos machados e facas. Ele acrescentou agora a esses presentes mais cinco jovens índios, duas raparigas e três meninos. Desses desgraçados, que aceitei das mãos do desumano, com tanto maior empenho, quanto sabia que, ficando aqui, eles se destinavam sem cuidados à morte certa, visto já estarem todos atacados da febre; a mais velha das moças, levamo-la para Munique, duas outras entreguei-as ao sr. Videira Duarte, comandante militar de Ega, e ao sr. Pombo, ouvidor do Pará, e os outros dois, que já traziam o germe da morte, faleceram de endurecimento do fígado e hidropisia durante a viagem."

Martius rasura. Omite o destino do menino. Precisa apagar rastros, estabelecer o lugar do corte entre o vivido e aquilo que gostaria que tivesse acontecido. Ou dar apenas aquilo que as pessoas precisam saber, parca ração da verdade. Toda rasura é uma edição. Sem dúvida o ato é em si mesmo um fracasso, e o cientista sabe disso, mas como se perceber aos olhos dos outros sem a marca do heroico incontestável? Expurgar, desviar, eliminar a variação torna-se um hábito para quem escreve ou reescreve a história, especialmente a história dos outros, mas toda raspagem ou borrão, toda nuvem de breu que cobre o desenho ou o primeiro escrito deixa sua marca, seus vestígios. Dizem que onça não tem faro igual ao de cachorro. Mas onça fareja a seu modo. Descobre resquício de passagem da presa. A presa é, em geral, inepta para encobrir o próprio rastro.

~~Eu, afortunadamente, vim para Manacapuru, ali Juri, da família Comá-Tapüjaa, juntou-se a nossa tripulação, acompanhou-nos a Munique.~~

"Quando regressei de Japurá para Manacapuru, a corte de Zani (ele permanecera ainda doente em Ega), o capataz me mostrou os índios sob o comando do seu senhor, dos quais me foi permitido escolher um, que me atrevi a mostrar na Europa e educar à humanidade europeia. Na manhã antes da nossa partida, os índios homens apareceram enfileirados no pátio na frente da casa. Apontei para um belo menino Juri, o capataz o tirou da fila. ~~Era filho do líder de uma horda indígena que morrera em combate~~."

Martius recorda. Tem boa memória, mas, passados dez anos da primeira linha à revisão da obra, já não confia na imagem das mulheres que trataram sua febre na maloca, na pasta escura e pegajosa que o xamã passou nas tumefações de seu corpo. Prefere confiar na irritação que sentiu com a festa que o povo fazia enquanto seu amigo, o capitão Zani, tremia de impaludismo.

Martius escreve, coloca Iñe-e como prisioneira dos miranhas. Parece-lhe amoral, ao tomar essa decisão diante da folha em branco, o fato de ter aceitado como presente a filha de um tuxaua. Parece-lhe melhor ter salvado a menina de um horrível cativeiro. Parece-lhe melhor pintar o chefe como um demônio. Como não seria se oferecia a filha a um desconhecido? Palavras podem ser animais dóceis.

"Assim que anoiteceu, vimo-nos cercados por várias centenas desses homens. Expôs-se ao meu olhar horrorizado uma cena mais do inferno que humana: uma dança de antropófagos depravados, exaltados pelo gozo do triunfo e pela sensualidade. No meio desses filhos do apetite bestial desenfreado, passamos as noites receosos e sem dormir: só de manhã, quando eles se recolhiam às redes, ou iam para o banho, podíamos também descansar. Durante o dia, poucos eram os que víamos desses endemoninhados, pois estavam dispersos pela mata e em cabanas remotas; mas logo ao cair da tarde surgiam eles de todos os lados e enchiam a praça, entre o rio e as cabanas, com um monótono sussurro, até ficarem bêbedos; então prorrompiam em berreiro feroz e, finalmente, soavam seus discordantes instrumentos, e começava o estrondo das canções e danças. Ainda se me confrange a alma, quando me lembro da horrível degeneração desses brutos. Devo supor que, durante a minha estada de algumas semanas entre esses selvagens, todas as manifestações de sua vida desleixada passaram-me diante dos olhos; mas senti tão dolorosa impressão da sua vizinhança, que, se eu contasse as particularidades nas quais se manifesta a característica dos mais rudes aborígenes brasileiros, também causaria a mais penosa impressão aos meus leitores. Fiquei persuadido de que esses selvagens não tinham ideia alguma do Deus bondoso, pai e criador de todas as coisas; que somente domina nos seus destinos um ente mau, transformando-se em cada fatalidade, caprichoso e implacável, ao qual se sujeitam em cego e inconsciente medo. A alma desses homens primitivos decaídos não é imortal; ela apenas se manifesta na existência, não conscientemente, e só a fome e a sede lhes lembram as necessidades da vida. Justamente por isso, a vida não é considerada por eles um grande bem, e a morte lhes é indiferente. Com ela, tudo se acaba; só sobrevivem o ódio e a vingança como espectros atormentadores. O laço do amor é frouxo; em vez de ternura, cio; em vez de afeição, necessidade; os mistérios da geração, profanados e às claras; o homem, por comodidade, meio vestido; a mulher, escrava nua; em vez de pudor, vaidade; e o casamento, um concubinato que se desfaz segundo o capricho; a preocupação do pai de família é seu estômago; quando cheio este, crua concupiscência; seu passatempo, glutonaria e ócio apático; sua ocupação, irregularidade; o trabalho das mulheres, cego e sem finalidade; os seus prazeres, repugnante lascívia; as crianças, fardo dos pais e, por isso, evitadas; a afeição paternal, somente cálculo, e a maternal, somente instinto; o pai de família, descuidado e sem autoridade; a educação, brincadeira, imitativa da mãe, cega despreocupação do pai; em vez de obediência filial, medo; emancipação recíproca ao alvitre; para a velhice, em vez de respeito, desafio; em vez de amizade, camaradagem; lealdade, enquanto não há tentação; relações subordinadas ao egoísmo vacilante; em vez de direito, a voz do egoísmo; em vez de patriotismo, inconsciente confiança nos parentes da mesma língua; ódio hereditário contra as tribos estranhas; mutismo, por pobreza de ideias; indecisão, por falta de discernimento; o domínio do tuxaua, por inaptidão dos demais, porém todos incapazes da verdadeira obediência moral, assim como do comando: — eis como vive o aborígene destas selvas! No mais primitivo grau da humanidade, é deplorável enigma para si mesmo e para o irmão do Oriente, em cujo peito ele não se anima, em cujos braços desvanece, tocado por humanidade superior como de mau sopro, e morre. A 12 de fevereiro, deixamos o porto dos Miranhas, lugar de cuja sombria impressão na minha alma só me senti curado depois do regresso à Europa, à vista da dignidade e grandeza humanas."

Martius esquece o que escreveu. Ou não esquece, mas quer esquecer. Deliberadamente, rasura. E a rasura também é um método. Agora contempla o retrato de Iñe-e gravado na pedra. Para que contemple essa imagem, foi preciso antes existir uma pedra, que foi lixada em movimento infinito, em lemniscata, o universo em eterna repetição. Depois as feições da menina desenhadas em ponta de lâmina, o seu cabelo liso riscado ao meio, pelos ombros, sua cabeça pendida, os olhos tristes e amendoados, os lábios unidos, estampando sua resignação. Só depois o breu pulverizado, a tinta, a impressão. A pedra colocada na superfície da prensa, a manivela girando cuidadosamente para que a pedra não se espatife sob a compressão. Martius escreve e raspa o que escreveu e faz uma nova tentativa de verdade. Agora coloca na legenda a menina como pertencente a M. J. do Paço, governador do rio Negro. Para ele não há nome anterior a Isabella Miranha. Para ele, ela não tem história.

O papel suporta tudo, Martius bem sabe. Já velho, escreve em seu diário:

Eu apontei para o belo rapaz juri, o capataz o retirou da fila e o pai do menino não o acompanhou; em vez disso, seguiu-me com um olhar fixo: era uma pergunta ou era raiva? Eu não me esqueci desse olhar.

Letras são animais que, depois de domesticados, apenas obedecem, ele acredita.

IX

Uma pessoa sabe que está morta quando não consegue mais escutar a voz dos animais, dos espíritos, das árvores, dos rios. Cada ente tem sua palavra, sua entonação própria e vocabulário. A paca fala de uma maneira, o tabaco fala de outra. A anta tem um acento, o jacaretinga tem outro. Tem palavras que só as onças usam e que não é dado a nenhum outro animal dizê-las. Do mesmo modo toda a diversidade de reinos dos bichos e das plantas.

Tururu etê turuliu caa nañaña u eê sapi, gritam os macacos quando entram em guerra.

A voz do peixe, em geral, é em torvelinho; mas a fala da inaai é tal qual a fala de gente, mas com um acento muito mais estrídulo. A voz da árvore tem semelhança com a voz da nuvem, e a voz da pedra é em igual tom ao da voz dos espíritos, uma fala muito clara e cortante. Só quem está vivo consegue escutar a voz do mundo, entender sua linguagem, seu rumor, os ermos e luminescências de suas palavras, e por estar vivo é que consegue responder.

Antes de ser vendida e levada embora, Iñe-e deslizava pelas águas dos rios como quem vive. Não pensamos na respiração quando estamos vivos, não nos ocupamos em entender os movimentos de encher os pulmões de ar ou de esvaziá-los; não lembramos de sentir o calor do sopro passando pelas narinas, mornamente, nem de sentir seu torpor quando está frio, muito frio. Mas Iñe-e descia aquelas águas em uma igara, que escorregava como a palma de uma mão deflui sobre o verde de uma folha muito lisa, e ela não se dava conta, porque era o seu natural, mas aquilo era a beleza de estar viva. E Iñe-e escutava.

No dia em que Iñe-e deixou a vida que conhecia para

trás, ela ouviu a voz do rio, contínua e tornada escura pela fricção com as pedras, com as raízes e com a pele corrediça dos peixes. Pôde sentir sua teimosia e agastamento, e perceber as tentativas de impedir a sua partida. Assim, o rio jogou barrancos de areia no caminho, enviou troncos para atingir as canoas, assoprou nuvens de insetos. E esbravejava

]Vamos impedir nossas águas revoltosas vão impedir os troncos de madeira rolando pelas águas vão impedir os piuns já se ajuntam vão impedir nossa gente não sabe chorar tro ve jar da minha língua vamos impedir toda a arte de vocês é criação da morte vamos impedir [nós] a exibirmos nossa plumagem e nossa tristeza nossas cores e nossa selvageria sabemos lutar cuidado! as zarabatanas de água também mordem vamos impedir[

Mas de nada adiantou a arenga das corredeiras. Os homens são tenazes em suas pilhagens e, assim sendo, nada é realmente eficaz em impedi-los. Desse modo, a menina foi levada para a cidade dos brancos, onde ficou por tantos meses que chegou a pensar que ali seria o seu destino final. Quando começaram os aprontamentos para a nova viagem, não se deu conta. Vivia sobressaltada, esperando por algo que ela mesma não conseguia conformar em ideia clara. Morava nela o desejo de que, de uma das viagens que os cientistas faziam, sua mãe ou alguém conhecido pudesse ser trazido junto, para que não fosse mais tão solitária quanto era, muito embora cercada das outras crianças e de todos os que viviam no entorno da casa e das palhoças. Não conseguia pensar em outra coisa senão na vida e nas pessoas que deixara para trás, e esses pensamentos enchiam sua cabeça, sua alma.

Nada sabia sobre o mar ou sobre as terras que ficavam além dele. Sobre o movimento ao seu redor, achava que os cientistas e os outros homens se preparavam para um novo saque e que seria deixada mais uma vez ali com os outros, como os animais de criação que os brancos tinham certeza de que eram. No entanto, quando foram levados ao porto com uma infinidade de animais, entendeu que nunca mais regressaria. E do porto saíram em comboio de cinco monstruosos barcos, as brancas velas enfunadas por um vento sem vontade, em direção a um destino sombrio, desconhecido. E quando finalmente chegou ao alto-mar, Iñe-e não conseguia entender o que aquele imenso cobertor de água lhe dizia.

X

A travessia do mar para os prisioneiros era uma coisa totalmente diferente do que era para os cientistas, muito embora para uns e outros fosse conflitiva. Para Spix e Martius, se transportava um jardim de maravilhas, um terrário preparado com cuidado e que transplantavam, fervorosos, reverentes, para deleite dos homens e das mulheres e crianças do seu povo. Para regalo próprio, de outros estudiosos e do seu rei. Para as crianças e os animais, levados contra a vontade, ao contrário, tudo aquilo era um rasgo profundo, inflamado. Gritos aflitos pareciam ecoar nos trovões que despencavam bolas impossíveis de fogo e água por sobre a embarcação. Adoeciam. Passavam fome e sede. Por ordens expressas do capitão, toda água e toda ração eram restritas a porções ínfimas, muito embora as provisões dos cientistas tivessem sido pagas e levadas por eles mesmos para seu próprio consumo, das crianças, dos animais vivos e das plantas.

O capitão, um bruto. Homem ruim. Yurupari o cegue com o seu raio, Yurupari o devore e o vomite, desejava a menina, e não apenas ela.

O capitão gritava com Martius, que reclamava do severo racionamento. Martius gritava com o capitão e teria ímpetos de matá-lo, se isso não custasse a sua própria vida. Com Spix mais enfraquecido do que ele, era seu o dissabor do embate com aquele sujeito tosco, que definitivamente não alcançava a importância de preservar o tesouro que tinha sob seus cuidados. Ao capitão, por feroz e desalmado que fosse, e era, só interessava chegar, sem motins, sem homens com facão em seu pescoço ou sua carne dada de comer aos monstros do mar. Se para isso fosse necessário deitar fora o que considerasse excedente, paciência. Entre dedos e anéis, preferia os dedos.

Os bichos foram os primeiros a morrer. Em seguida, as crianças. O caminho do mar transformado em uma vala comum e inconstante. Crianças e bichos, todos tombados na água sem nenhum ritual, como duras tábuas de madeira despencadas em túmulo semovente. Longe de suas famílias, nunca encontrariam o caminho para qualquer terra sem males onde pudessem se reunir com seus ancestrais.

Yurupari encontraria seus espíritos e os resgataria daquelas águas estranhas e vorazes? Iñe-e não sabia responder àquilo, apenas esperava o dia em que fosse também jogada já sem vida àquele pasto de peixes e criaturas assombrosas, e sentia que morria em cada morte que testemunhava. Perdia o chão deste mundo, aquele chão instável do assoalho do navio, em cada companheiro seu que expirava. Morreu com a menina pequena que murchou em dois dias, o sangue saindo em jatos de sua boca. Morreu também com o menino do seu tamanho que se foi agarrado ao irmão menorzinho, os dois gemendo e se contorcendo de dor por toda a noite até que, mal raiando o dia, se fez silêncio e frio dentro e fora deles. Morreu com todos, porque lhe faltava a palavra. E embora respirasse e sentisse o tum-tum do coração dentro da caixa do peito, a certeza era de que morta estava. E uma a uma as crianças foram falecendo, até que sobrassem de pé apenas ela e o menino Juri. E, ao sobreviverem, tanto ela quanto ele sabiam que estava lançada a sua falta de futuro e esperavam, desse modo, apenas a sua hora de também tombar e serem jogados na impiedosa e voraz boca da grande água.

O que, no entanto, só ela sabia, é que no momento em que crianças e bichos morriam, seus espíritos começavam a se desprender dos corpos, como uma lagarta que lentamente deixava para trás o casulo que até pouco tempo antes a continha. Mas, diferente das borboletas, que, tão logo secam suas asas, partem para sua vida de borboleta, os espíritos dos mortos daquelas embarcações passaram a pairar no alto, azulados, como pandorgas que estivessem de algum modo presas aos mastros. Ou como os balões de gás que, atados a fios muito finos e delicados, eram impedidos de ganhar o céu. E assim os espíritos continuaram acompanhando o comboio. Não eram Desencantados, porque neles não havia rigidez, imobilidade; eram matéria fina, inflada, com olhos enormes e a tudo atentos. Muito embora parecesse, não era aos barcos, galeras e escunas que aqueles espíritos estavam presos. Eles estavam mesmo atados aos cientistas, que, sem saber, arrastavam os fios daquelas almas aonde quer que fossem ou estivessem. Iñe-e não os via, mas os pressentia espreitando os dias dos vivos, se esforçando para pedir alguma coisa que ela não sabia o que era ao certo, mas imaginava.

Quando a caravana aportou em Lisboa, os espíritos dos mortos continuaram a segui-los, e se alguém pudesse de fato vê-los talvez se espantasse de que acima do adormecido Spix, que descansava em uma cama de madeira escura, em um quarto cheio de móveis e bibelôs, na noite do dia 6 de outubro de 1820, havia ao menos uma menina, um menino, três serpentes e um macaco a observar seu sono, todos colados ao teto, todos com seus grandes olhos que nunca se fechavam.

Sobre Martius pairavam uns outros tantos, como se dividissem entre si a função de vigiá-los. E assim seguiam, mortos e vivos dia após dia, noite após noite, pelos corredores, pelas salas de jantar dos palacetes, pelos gabinetes, pelas ruas da cidade, os espíritos observando os modos como aqueles homens andavam, como se despiam, como suavam à noite entre febres por baixo das cobertas. Incansáveis, não abandonavam seus postos, e continuaram atados aos homens quando a caravana seguiu seu rumo, saindo da capital portuguesa para Madri, de lá para Valência, Tarragona, Barcelona, por entre os Pirineus, Perpignan, Lyon, Alsácia, entrando em Estrasburgo pelo Reno até que chegassem, finalmente, à capital da Baviera, a cidade dos monges.

XI

Se quiserdes agora figurar um índio, bastará imaginardes um homem nu, bem conformado e proporcionado de membros, inteiramente depilado, de cabelos tosquiados como já expliquei, com lábios e faces fendidos e enfeitados de ossos e pedras verdes, com orelhas perfuradas e igualmente adornadas, de corpo pintado, coxas e pernas riscadas de preto com o suco de jenipapo, e com colares de fragmentos de conchas pendurados ao pescoço. Colocai-lhe na mão seu arco e suas flechas e o vereis retratado bem garboso ao vosso lado. Em verdade, para completar o quadro, devereis colocar junto a esses tupinambás uma de suas mulheres, com o filho preso a uma cinta de algodão e abraçando-lhe as ilhargas com as pernas...
| Jean de Lery, 1577 |

Mas os corpos celestes que estão acima da Lua não estão sujeitos à mudança, e permanecerão eternamente belos, e ordenados, tal como podemos sempre vê-los na harmonia de suas esferas e no esplendor de sua aparência. Os corpos sublunares, ao contrário, estão submetidos à mudança e à feiura: e ainda que a Natureza tenda sempre a produzir efeitos excelentes, por causa da desigualdade da matéria, as formas se alteram, e particularmente a beleza humana, como podemos ver nas múltiplas deformidades e desproporções que estão em nós. Por isso os nobres Pintores e Escultores, imitan-

do o primeiro Operário, formam igualmente em seus espíritos um modelo de beleza superior e, sem afastá-lo dos olhos, emendam a natureza corrigindo suas cores e suas linhas...
| Giovanni Pietro Bellori, 1672 |

O temperamento do índio quase não se desenvolveu e pode ser qualificado de fleumático. Todas as potências da alma, mesmo a sensualidade mais nobre, parecem achar-se em estado de entorpecimento. Sem refletir sobre a criação universal, sobre as causas e a íntima relação das coisas, vivem com o pensamento preocupado só com a conservação própria.
Passado e futuro quase não se distinguem para eles, daí não cuidarem nunca do dia seguinte. Estranhos a todo sentimento de deferência, gratidão, amizade, humildade, ambição, e, em geral, a todas as emoções delicadas e nobres, que distinguem a sociedade humana; insensíveis, taciturnos, imersos no mais absoluto indiferentismo por tudo.
| Spix, Martius, 1823 |

XII

O corpo de Raoni ocupa o centro da tela, seu cocar de penas amarelas e borda escura permanece como um corpo celeste em rotação. O círculo do sol é uma perfeição que não se extingue, e uma flama alaranjada bem ao centro aponta para o cosmos. O que o olho não vê é que o corpo de Raoni Metuktire é azul como o céu é azul em dias sem nuvens. Raoni fala.

Ouça, branco, preste atenção. Quando eu era deste tamanho, e Raoni faz um gesto com as mãos mostrando o quanto era pequeno, eu costumava dormir com a cabeça no braço do meu pai, assim, e ele dobra o braço em direção ao próprio tronco e quase se torna possível vê-lo ainda menino, repousando sobre o corpo do pai.

Ouça, branco, preste atenção. Quando eu era deste tamanho eu costumava dormir com a cabeça no braço do meu pai, assim. E ele me contava: você vai crescer diferente dos seus irmãos. Eles brigam muito, você não. Você se dá bem com as pessoas. Você vai ser amigo de todo mundo. Você vai manter nosso povo unido. Um dia, no futuro, um outro povo vai chegar aqui, um povo diferente, um povo desconhecido, e eles serão capazes de exterminar a gente. É você quem vai manter nosso povo unido. Então desde pequeno eu já sabia. Então, branco, branco começou a matar. E foi aí que começou a guerra.

Os braços de Raoni se configuram como duas jiboias. Suas cabeças sobem e descem, elas deslizam às margens do rio que não é possível ver além da tela, mas que está lá. Elas, as jiboias, bailam. O rosto de Raoni, por sua vez, toma a aparência do witawató, o pássaro gigante, uiruuetê.

Eu vi o desenho das barragens. São várias delas. Vão

afetar as terras kaiapós. Existem muitas aldeias na beira do rio. Os outros caciques têm que saber disso. Eu vou contar do meu conhecimento. A água não pode ser barrada. Se o chefe de vocês continuar com o plano de fazer barragens, eu vou à guerra com ele. Os homens nascem livres e com direitos iguais.

XIII

Os cientistas pisam o chão de sua terra como se fosse a primeira vez em um sábado, 8 de dezembro de 1821. Estavam na Europa desde agosto, e, depois de tanta mata sibilando e trovões e insetos zunindo, tanto desconforto, aquele chão parecera por muito tempo um lugar de sonhos, um chão que desvanecia a cada dia, que feito de nuvens desaparecia a cada passo. Era possível perceber a felicidade deles pelo regresso, uma felicidade contida, nada ruidosa, mas que parecia emanar dos seus corpos como uma espécie de calor. Essa ventura, no entanto, não contagiava os companheiros da longa viagem, as crianças, os bichos e menos ainda os espíritos dos mortos que os acompanhavam. E, por mais que parecesse brotar de suas peles, ainda assim não tinha o poder de faiscar nos olhos de Spix. Ele parecia pressentir que pisava de novo aquela terra que era sua para morrer, sem que as glórias prometidas e sonhadas pudessem resgatá-lo. Como as crianças e os bichos, ele estava exausto. O sertão e a floresta minaram sua saúde. Era um morto que andava.

A intenção era que a Europa pudesse admirar aquele deslumbre de vida que há muito perdera. A Europa era velha, muito velha, reumática, quiçá sofrendo alguma moléstia cancerosa. E aquilo que os cientistas traziam consigo era uma promessa, uma fonte da juventude, novíssima pedra filosofal. Quando Martius comprara crianças, não pensara nos escrúpulos de Spix, que desaprovara a ideia com uma frase ríspida: Não somos traficantes. Pensara que para a ciência toda consciência deveria ser relativa. E pensara em Goethe, que certamente haveria de gostar de receber uma daquelas crianças exóticas para observações. O poeta, sempre tão generoso, havia sido para Martius um alento nas noites da floresta em que, atenção voltada ao céu do hemisfério Sul, se sentira ao mesmo tempo maravilhado e oprimido pela solidez da mata, que muitas vezes se apresentava escura como o inferno, emaranhada como o caos, irritante e maligna em sua formação natural. Goethe, ao contrário, iluminara como um farol de luz segura e certa o seu trabalho de recortar numa coleção lógica um assombro medido, uma inteligibilidade no meio da perturbação. Trouxera consigo, na aventura de desbravar o Brasil, além do violino, o primeiro volume do *Fausto*, pressentindo que para atravessar aquele outro mundo, e a ele sobreviver, seria necessário, de algum modo, ser pactário. Trouxera também um exemplar de *A metamorfose das plantas*, que lhe inspiraria não só o fazer científico, mas também a feitura de seus próprios poemas.

"Obnubila-te, amada, a mistura
de milhares de formas dessa multidão de flores sobre o jardim;"

A voz jovial e grave de Martius imprimia uma entonação clara à *Metamorfose* engendrada por Goethe. Sua voz, num crescente, enchendo o quarto, o paço, o sertão, a floresta, qualquer lugar em que se pusesse a recitar e recordar a língua que era sua. O cientista se considerava um homem feliz na grande aventura de sua vida. Feliz naquela terra assustadora e pródiga, nunca igual ou monótona. Bem-aventurado entre suas amadas palmeiras, os seres que considerava os mais perfeitos de toda a criação. E ainda afortunado por proporcionar ao amigo Goethe, o grande poeta, sim, alguma felicidade com seus relatos, com as novas que lhe enviava de tempos em tempos nas cartas, com o presente que levaria para ele, uma lembrança de como sua obra, seu apoio, foram importantes naquela expedição, dando-lhe renovadas forças diante do misterioso sertão, perante a assombrosa floresta. Mas nem tudo saíra como o planejado, é certo.

Quando Iñe-e pisa o chão de Munique, ela não olha para o céu nem para as construções dos brancos, que a tornam simultaneamente arrogante e feia, como toda cidade dos inimigos se figurava para ela, fosse Belém do Pará ou Lisboa, Barcelona ou a Vila de Ega. O frio lhe vergava as costas. E ela se sentia doente de estar longe, debilitada por tantos caminhos.

Por que Iñe-e, que era livre, agora tinha donos?

Tivesse se tornado onça naquele dia já distante em que a pegaram e a levaram de casa, ali nem estaria. Teria matado a todos. Ela, Tai-tipai uu, assomada e translúcida fera de palavras, rugidos, garras e dentes. Ela, não mais Iñe-e, uma menina-jaguar, mataria, sim. Mataria os cientistas que se faziam de donos. Primeiro arrastaria os dois pelo cangote, depois partiria suas colunas a dentes. E, na raiva que sentia, teria matado até mesmo o próprio pai, que a trocara como inimiga junto aos filhos dos inimigos. E mataria os frades e também o homem que colocou a todos numa fileira, cingidos por cordas. E mataria aquele que a agarrou quando ela quis fugir. Só pouparia as crianças, as mulheres, as avós e os avôs gerais. Nenhum outro homem ficaria de pé, porque bem sabia que o macho pertence à guerra do mesmo modo que a guerra pertence ao macho. Na ocasião de seu extravio, bem que tentou chamar a onça, como tentava agora, adentrando em Munique. Primeiro gritando, entre dentes, depois convocando baixinho e, por fim, invocando dentro de si mesma o animal que ali habitava,

Tai-tipai uu! Tai-tipai uu!

Mas nada acontecera daquela vez nem agora, Tipai uu não aparecera, Tai-tipai uu não a tomara, não fizera aparecer a jaguara debaixo de sua pele, saltando para fora com seu pelo lustroso, seus olhos solares, suas garras e dentes pontiagudos como arma da melhor qualidade. Talvez porque não dera tempo, talvez porque não fosse dado a crianças virar sequer jaguatiricas, e, sem a Onça Grande lhe permitir que onça saísse de dentro da vida dela, sua pena, ao que parecia, era se amofinar.

Não olhe o céu!, ela diz para si mesma ao pisar o chão de Munique, e acabrunha a cabeça em direção ao peito, se escondendo dos olhos curiosos dos brancos. Sente medo deles. O coração em corrida apavorada, coração de caça dentro do mato, o caminho de folhas e cipós e raízes, corredeiras, as picadas se abrindo e se fechando, os paus estralando, zagaias e, ali dentro, tão quente e úmido, até que o frio, as mãos dos caçadores chegaram e o encurralaram.

Não olhe o céu, Iñe-e! E assim ela permanece, a boca entreaberta, os olhos no chão, a dor pesando em cada fibra, carne cheia de dor e lamento pisando aquele chão sem nenhuma felicidade, um chão que parece mais duro que qualquer outro.

Alheios aos sentimentos da menina e vencidos pelo cansaço e pelo avançado da noite, Spix e Martius consideram que por ora é mais prudente se instalar em uma hospedaria. No centro da cidade, na Weinstrasse, se acomodam na Pousada Galo de Ouro, que logo começa a receber curiosos que anseiam por ver os dois exóticos trazidos pelos cientistas.

Quanto sucesso que nem imaginamos existe pelo

imenso mundo. Serão criaturas de Deus?, pergunta a estalajadeira.

Deixemos que os apreciem por cortesia, Martius. Não considero correto que cobremos ingresso para exibi-los. Somos homens da ciência.

XIV

Depois dos dias de viagem pelas terras desconhecidas daquele continente singular onde as mulheres não riam e os homens se escondiam em brutos capotes, das cidades e dos povoamentos pelos quais passaram, das montanhas pintadas de branco, dos rostos estranhos que se acumulavam por trás dos olhos já cansados de tantos novos rostos e tantas novas paisagens, os cientistas os levaram a conhecer o rio da cidade. Era um rio magro e singular. Iñe-e nunca tinha visto um rio como aquele. Nele, somente navegação pequena, em jangadas, mas não em todos os trechos. Em alguns lugares seria possível até atravessá-lo a pé; em outros estava congelado.

Entre ela e o filho do chefe dos juris, havia um mundo de silêncio. O mundo de palavras suas, aquelas com que a mãe e seus familiares lhe proveram, gravitava ali apenas em torno dela mesma. As palavras que outrora ecoavam dentro e fora da maloca ressoavam na memória com pesar: niik-a uu, i-hi, híniba, íígai, hii. Cabeça, boca, lábios, dentes, saliva: o que se precisa para falar, além do sopro que enche peito e barriga e que anima a palavra. Porém as vozes queridas iam perdendo a nitidez. E cabeça, boca, lábios, dentes, saliva, aquilo que é necessário para se comer. E tudo pesava sobre sua existência. Às vezes acordava com o coração acelerado, havia esquecido o tom e o timbre da voz de alguém.

O menino Juri sentia coisas parecidas, e por habitarem agora em um mundo de palavras que ignoravam ambos se tornavam, de certo modo, irmãos. Estranhos irmãos, inimigos desde antes de nascerem, que asco um do outro tantas vezes sentiam por inimigos que eram desde os ancestrais, mas que ora paridos pela mesma sina naquela outra vida, ninguém diria que irmãos não fossem. As palavras de seus sequestradores e as palavras que suas mães, suas tseehi, lhes ofereciam, como os bolos de comida amassados na palma da mão, não encontravam as coisas que poderiam nomear nem ouvidos que as pudessem entender. Era certamente um enorme desencontro aquele, mas, sob essa pena, se olhavam e um tanto se reconheciam. Se sabiam ora tristes, ora apavorados, ora saudosos, ora enraivecidos. Seus olhos se espantavam e envelheciam com as mesmas paisagens, seus corpos estremeciam e adoeciam sob os mesmos calafrios. Depois de tanto tempo juntos, de algum modo era como se em certos momentos pudessem ser um só.

Embora pouco mais velho, o menino Juri já era um homem para seu povo quando fora levado por Martius. E, se sua família não tivesse caído em desgraça na guerra contra os miranhas, ele teria sucedido ao pai na liderança. De pequeno, fora provado na dor como era costume entre os seus. Estava pronto para a guerra quando fora capturado. E embora na ocasião não tivesse ainda cortado a cabeça de nenhum inimigo, era exímio em arrancar os dentes aos cadáveres, com os quais se faziam os colares dos guerreiros. Era um menino forte. E talvez por isso mesmo tenha sobrevivido aos dias que passaram sobre o mar. Iñe-e também o era, e em seus corpos essa força se inscrevia como a história dos seus povos.

Fazia frio no dia em que foram levados ao passeio. Tanto o menino quanto a menina prefeririam se manter em local mais aquecido, mas Spix os convencera a sair, certo de que o ar fresco e a natureza próxima lhes dariam algum ânimo novo. Spix se tornara como que um amigo, e ambas as crianças passaram a vê-lo desse modo, porque os acalmava e falava com eles com olhar ao mesmo tempo firme e complacente. Contemplando o rio, Iñe-e e o menino sentiram, cada um ao seu modo, um sentimento assombroso de não estarem no lugar certo e ficaram ambos tão agitados que o passeio fora encurtado. Mas por maravilhoso que fosse, o rio de algum modo soube compreender Iñe-e, porque todos os rios sabem todas as línguas do mundo, e desde aquele dia sua voz inaudível à maioria chegava, não obstante, aonde quer que ela estivesse.

A menina, entretida no silêncio que era seu, começou a perceber a voz densa do rio, apurando os ouvidos, colocando-os entre as conchas das mãos, para escutá-lo melhor, tentando entender o que dizia. A voz atravessava distâncias, grossas paredes, massas de ar gelado. No começo, não havia nenhum som que pudesse distinguir como palavra, fluss-fluss-fluss, era o que ouvia, som comum de correnteza. Mas não demorou para que as águas se fizessem minimamente inteligíveis.

Pode me chamar de rio, odo, Fluss, river, rivière, flumine, fluxo de água rasgando a terra como a trajetória de sangue em um corpo animal. Pode me chamar de água. E água é tudo e está em tudo que compõe este mundo. Aqui, neste lugar, me chamam Isar, Isar Fluss. Esse nome significa torrente, e por ser torrente um nome de mulher eu sou Isar, rio-fêmea. E, embora os homens pouco atentem a isso quando nos nomeiam, há outros rios fêmea como eu, como o seu Paranáhuazú. Fossem as mulheres a dar nomes às coisas, cidades, rios, passagens, montanhas, talvez percebessem melhor que nem tudo no mundo é definido como macho. Mas de fato pouco importa o nome que me dão, porque Eu sou. O Espírito pairava sobre as águas, escreveu a mão áspera deslizando o cálamo sobre o papiro. Kneph enroscado em um vaso de água, o ovo cósmico chocado em minha superfície.

O rio Isar trazia notícias de tempos, lugares, pessoas, coisas que Iñe-e nunca conhecera. E dava notícia de animais impressionantes, de guerreiros e inimigos que há muito tinham morrido, de cidades desconhecidas e de homens santos e dos milagres que contavam deles. Isar falava incessante, como é da natureza das águas. E a menina não conseguia conceber a ideia de um leão, sua cabeleira dourada como um sol, seu corpo de onça sem pintas, seus olhos de rapaz jovem. E ela se iluminava de espanto com a ideia de que um homem que, sem ter sido tocado pelo olhar de Yurupari, pudesse andar por sobre o mar pisando a superfície líquida como se pisasse o chão cotidiano. Mas confundia o homem que andava sobre a água com as estátuas que vira ao longo das margens tanto do Reno como do Isar, no dia em que a conhecera, ex-votos de Nepomuck, o santo homem que fora atirado de uma ponte a mando de um rei e a quem os marinheiros saudavam retirando o chapéu da cabeça.

O certo é que Iñe-e desentendia Isar na maior parte das vezes em que ela lhe falava sobre a história e os costumes dos brancos, mas compreendia melhor quando o rio falava com as vozes dos rios de sua terra e, assim, contava da sua mãe, do seu irmão, do velho avô e dos parentes. Era uma fala nebulosa que a levava a lugares cada vez mais distantes, cada vez mais sem feições, com tom de voz e temperatura dos corpos nunca vistos. E quando se sentia mais extraviada do que nunca, a menina se contorcia sob uma grande força que parecia apertar seus ossos. Nesses momentos Isar como que silenciava. E só depois de algum tempo recomeçava a falar. Os rios são assim, sabem de tudo, e não silenciam por muito tempo. E Isar voltava falando coisas das quais a menina só conseguia entender o essencial. Os barrancos de areia, as pequenas ilhas, e que Isar e os cientistas eram velhos conhecidos, por exemplo. Essa lenga-lenga lhe fora repetida várias vezes, falava de reis, do menino que Martius fora, do pai cirurgião de Spix mostrando com que destreza se abre um corpo a bisturi. E Isar parecia uma velha a dar voltas em torno da mesma coisa, o que às vezes enfadava a menina. Mas ela compreendia que o rio desejava que ela conhecesse melhor aqueles homens. Parecia haver um propósito no rumor de suas águas.

Uma noite, porém, Isar contou uma história verdadeiramente assombrosa, a história da cidade e do fantasma que paira acima dela. Pelas noites seguintes Iñe-e não conseguiu dormir direito. Seus olhos abertos vislumbrando o espírito do menino que espreitava aquela terra, nas noites muito frias e escuras, lembrando que cada construção ali fora erguida sobre sangue inocente.

XV

O rei me vê como um traço verde rasgando a paisagem. Ou como um pedaço de pano retorcido. Sobre um papel pardo, um risco. Qualquer rei me vê assim, e nenhum percebe bem as dobras e ondulações, nenhum sabe que sou profundo verde. Essencial e denso verde. Para o rei posso ser estorvo, caso perca uma batalha às minhas cercanias, ou posso ser promessa de mais ouro, caso encontre novas formas de lucrar com a minha existência. E foi assim que, sobre as minhas margens, o rei ordenou que se erguesse uma ponte. Acima de mim, o céu. Abaixo de mim, a pulsação da terra impelindo meu caminho.

Para erguer uma estrutura que servisse de passagem e ligamento, foram necessários braços fortes, a tração das pernas de homens e animais, todos juntos na mesma canga. Foi preciso a conjunção de carnes e forças e, sim, muitos nomes que servissem de cimento. Jörg não tinha pai nem mãe e estava na frente de trabalho a serviço da ponte e do rei, ao lado dos tios. Era um rapaz forte, e os músculos de suas pernas, braços e costas se retesavam quando se fazia necessário rolar as toras de madeira que serviriam de arcabouço para o desejo do rei.

O rei, para ser rei, precisa ser, necessariamente, um homem incomum. É o que se costuma dizer e acreditar. Esse a que me refiro era neto de Henry, o Negro, filho de Henry, o Orgulhoso, e ele mesmo um Henry, rosto e corpo continuado dos seus ancestrais, o mesmo levantar de sobrancelhas quando se mostrava curioso, o mesmo esgar que contraía o quadrante superior esquerdo dos lábios quando algo o irritava, a mesma tendência para a retenção de líquidos que se alojam nas pernas, logo abaixo dos joelhos e nos tornozelos.

Esse rei, em outro ponto da história que não este, em que nos deparamos com Jörg e seus tios cingidos por cordas feito mulas, encontrará, a caminho da Terra Santa, um leão em luta com um dragão. É de fato incomum presenciar batalhas entre bestas tão memoráveis, mas, qual um são Miguel em peleja com o diabo, Henry, filho de Henry e neto de Henry, se coloca ao lado do leão e o auxilia a vencer. Precisamente por isso entrará para a história como Henry, o Leão. O leão, por sua vez, cão domesticado, fiel ao favor real em sua batalha, seguirá Henry sem coleira ou grilhões que indiquem sua submissão. O mundo é um pasto de maravilhas para quem tiver olhos de ver e alma para crer.

Eu em nada creio, sou um rio. Eu vou e volto, conheço o chão e o céu, compartilho a língua comum a todas as águas. Atravesso o tempo. Morro e renasço. Engulo e regurgito. Sei dos animais tristes que são os homens.

Jörg, por sua vez, Jorge sem nenhum dragão que o notabilizasse, comia as batatas que o velho monge Hans oferecia. Jörg e seus tios não raro se alimentavam das sobras do mosteiro quando iam auxiliar os religiosos em trabalhos que exigiam mais corpo do que fé, e esses monges, em particular, eram detentores dos segredos da construção de pontes. O mosteiro que se erguia às minhas margens naquela ocasião não tinha nenhuma imponência. Era um assentamento simples de pedras sobre o sangue dos homens, seja o sangue das mãos que as empilharam umas sobre as outras, seja o sangue das costas machucadas pelo cilício.

Sobre o cilício, sabe-se que João Batista, o pregador do deserto, primo de Jesus, fez uso dele, assim como Thomas More, o filósofo mártir, que, por baixo da camisa de seda muito alva, usava uma camisa de cilício para mortificação da carne e elevação do espírito, assim como o velho irmão Hans, quando não soube distinguir, a mirada azulada e turva, a mente confusa, se o corpo de Jörg era corpo de homem ou de mulher. Nem o tocou, é verdade, porém a atrapalhação em si exigiu o pagamento da carne, como sói ser.

O desejo do rei era que a ponte, mais que passagem entre uma margem e outra, possibilitasse um trânsito mais seguro para as pessoas e injetasse ânimo para o povoamento da cidade. Estes verbos são parte querida do vocabulário dos governantes: injetar, transitar, possibilitar. O rei sabe, porém, que nem todo desejo que habita o coração humano floresce no mundo, neste mundo de poeira e assassinatos, de saques e contendas, o que não impede que o desejo se transforme em braços, em cordas, em toras de madeira, em pernas distendidas, em gritos, em suor escorrendo.

Mas nem tudo um rei pode saber, por mais extraordinário que seja o seu retrato. Um rei, no final das contas, é um homem cujos dentes também apodrecem e cujas pernas pesam com seu inchaço. Um rei caga e vomita. Um rei não muito raramente fica cansado e tem pesadelos que, quase sempre, coloca na conta de traições e perfídias que lhe tramam pelas costas.

Mas, calma, não nos apressemos: Henry, o Leão, ainda demora a entrar em contenda com Frederick Barbarossa, e não é agora que ele é despojado de seus domínios e mandado em exílio para a Inglaterra. E, a bem da verdade, isso pouco nos interessa. Há uma ponte sendo construída, e sobre sua estrutura se equilibra um rapaz.

O céu da manhã de sábado não promete chuva, diz um monge, e passa, segue seu caminho, muito embora eu saiba da chuva que está por vir. A ponte em vias de conclusão não se figura como algo grandioso, um tabuleiro simples sobre um cavalete, mas eficiente em sua função. Uma mulher, ao longe, escarra no chão e se encolhe por baixo de um xale grosseiro. Jörg come um resto de pão velho e nada mais. Corta o dedo em uma aresta formada na caneca e um dos tios, o mais velho, o repreende:

Você está distraído, Jörg.

O garoto não responde, faz uma careta, e o tio continua a provocar:

Está me afrontando, menino? Não sabe responder? Olha que te parto em dois.

Não é nada, responde Jörg a contragosto, e essas são suas últimas palavras.

Tempestades são rios, você sabe. Toda água é, a linha azul que caminha nos mapas, o trajeto do sangue no corpo. Quando a tempestade encontra Jörg no alto do tabuleiro, algo acontece, e o menino se deixa derrubar sobre o meu lençol violento e revolto pelos ventos. Pode não parecer, mas as minhas cheias são verdadeiramente ferozes. Sinto o corpo dele simultaneamente duro e macio atravessando minha pele, sua carne tenra e jovem que conheço desde que estava no ventre da mãe. Jörg, muito embora bom nadador, não faz nenhum movimento de resistência que possa, quem sabe, até salvá-lo.

Ao tio mais velho, que o espicaçara ainda de manhãzinha, parece que durante toda a queda estivesse já paralisado, os olhos como que de vidro, numa abertura incomum, muito embora o outro tio, o mais novo e esguio, que também está próximo da cena, não tenha visto senão o corpo despencando e se perdendo no meio da água, sem que nada nem ninguém pudesse fazer algo sob a grossa pancada de chuva. O que sei é que seu coração parou antes mesmo que eu fechasse sua laringe, encharcasse seus pulmões.

    Os homens, as mulheres e crianças que passeiam às minhas margens, que me atravessam de um lado a outro brincando nos lugares de pouca fundura, apreciando a beleza do céu bávaro sobre a cidade de Munique, como a turista vestida à francesa, a saia branca com duas listras azul-marinho, blusa também listrada, o chapéu de palha cor de tabaco graciosamente pendido para o lado, os pés em sapatilhas delicadas que em dado momento ela descalça e passa a carregar numa das mãos enquanto a outra segura a mão de um rapaz jovem de queixo proeminente, mas ainda assim de certa beleza, não sabem nada sobre Jörg nem sobre aqueles que ergueram essa e as outras pontes, e menos ainda que o vai e vem dos rios atravessa a história, que ela, a história, está sempre em movimento, que não existe nada estagnado. Desconhecem que tudo é fluxo e que dentro de mim há outras cidades, muitas da mesma cidade; que, abaixo da ponte, a ponte que Jörg ajudou a construir a mando de um rei há muito falecido, existe outra ponte; ignoram que, nas margens abaixo do rio em que refrescam os pés, outras pessoas, as pessoas da água, vivem sua vida, levantam suas pedras, fazem compras, piqueniques, beijam seus filhos antes que peguem a condução para ir à escola, derrubam reis, inventam máquinas, morrem de fome, de peste ou de frio, e são em quase tudo iguais a eles, que vivem fora do rio, nos muitos tempos que se desdobram nas margens da superfície. Quando o Allianz Arena estremece com um gol do Bayern, as pessoas da água sentem ondulações sob seus pés. Quando é primavera e as crianças da terra correm alegremente sobre a relva do Jardim Inglês, nas muitas cidades espelhadas é possível sentir uma brisa muito leve a agitar as folhas das árvores. Quando as coisas se tornam violentas, o desequilíbrio é mútuo.

Porém, minha condição não é exclusiva. Não se trata de um privilégio porque venho dos Alpes, como um braço do Danúbio, paisagem tão bela e paradisíaca estampada em um calendário engordurado numa parede de uma cidade distante e quente do hemisfério Sul. Na verdade, todos os rios abrigam sua gente da água, todos os rios abrigam todos os tempos. Mas isso nenhum rei, nem mesmo um que fosse aliado de um leão, poderia saber. Tampouco o casal de turistas em seu passeio ao fim da tarde. Os povos que habitam as florestas sabem, mas Jörg só soube quando caiu. E a primeira coisa que viu na margem abaixo da margem foi outro mosteiro, com outros monges, pessoas, animais, plantas, tudo igual e diverso. Ele não sabia. Mas soube, e então morreu.

Jörg paira por sobre a água. Ele sabe quem vocês são. Suas peles morenas, seus olhos repuxados, o coração aos saltos. Sabe que estão assustados como um pássaro na boca de um gato. Sabe que vocês olham um para o outro como quem procura se agarrar a algo conhecido. Sabe que é inverno e que vocês sentem frio.

Então Iñe-e vislumbrou Jörg com os outros fantasmas, como que a esperar por ela e seu companheiro. E seu corpo todo estremeceu.

XVI

É fato que reis constroem castelos, além de pontes. O castelo está para o rei como os afogados estão para os rios. Entretanto, os rios não necessitam de afogados em suas torrentes para que tenha sentido sua existência; os afogados lhes são indiferentes, é a verdade, ao contrário dos reis, que, sem castelo, parecem ter diminuída sua potência. Assim, quanto mais castelos e pontes e mesmo conventos em pilares sólidos e alicerces estruturados, tanto maior o poder do rei, tenha ele qual nome tiver. Ah, e as guerras, é claro! E a ciência, que coloca as guerras em movimento, com suas sempre novas tecnologias de matar. O poder de um rei, embora dito natural, não é fluido; necessita de mecanismos, arruelas e encaixes. Nada é simples.

O castelo, embora possa ser lar e fortificação, casa e posto de combate, universo que se ergue para fora da caixa de mogno talhada com adornos de marfim da rainha, ou, o contrário, ajuntamento de pedra e carne que penetra em dobras e quinas no interior aveludado e rubro da mesma caixa, é, também e sobretudo, a marca da ruína. O castelo de Chillinghan, por exemplo, na fronteira entre Inglaterra e Escócia, a meio caminho dos dois territórios, se um dia se torna risível em portais de notícias como um dos lugares mais assombrados do mundo, é porque ainda ontem, ou centenas de anos atrás, como queira, foi palco de torturas de combatentes das duas nações, iniquidades contra as vítimas de sempre, pobres em geral, mulheres, crianças, soldados caídos em desgraça. Ou o palacete da ilha Fiscal, no Rio de Janeiro, que, depois do baile de 9 de novembro de 1889, 250 contos de réis gastos, quase uma tonelada de camarões, meia tonelada de perus e pouco menos que uma centena de faisões, revela sua natureza de palco para o tombo do imperador Pedro II, incidente que lhe machuca as ancas e que de quebra faz com que perca o império. Após o baile, o espólio: 37 lenços, 24 cartolas e chapéus de senhoras, treze coletes femininos, dezessete cintas-ligas, oito raminhos de corpete e militares com espadas em punho sobre seus cavalos brancos e pardos, assumindo o poder dali em diante, e, mesmo quando fora do poder, suas lâminas e armas de fogo sempre a postos, pairando ao longo dos tempos sobre a cabeça do povo. A ruína tem muitas configurações. Ademais, todo castelo guarda em si túmulo e prisão.

Iñe-e e o menino Juri são levados em comitiva a uma grande e compacta construção, o castelo em que mora aquele rei que encomendara aos cientistas todo um pedaço, um recorte de sua terra, o mesmo que lhes deu ordens e meios para saírem a saquear a terra alheia. Como que brotado do chão da cidade, o castelo se ergue denso, prepotente. Seus aposentos resplandecem ouro, rubis e uma longa história de conquistas e sangue. Nesse dezembro, a boa nova anunciada pelas inúmeras portas e janelas da casa do rei é menos o menino Jesus a ser celebrado em data próxima que essas outras crianças vindas da inaudita floresta, singulares, desconhecidas, anômalas em sua simplicidade.

A imensa construção parece aos olhos de Iñe-e um lugar que guarda muitas espécies de erro. Os brancos, presentes em todos os lugares, ora caminhando de um lado para o outro, ora paralisados em pedra muito polida e até mesmo em metal. Há ainda as gentes presas em quadros nas paredes e as que surgem ameaçadoras nos afrescos, brotando de paredes e teto. A lâmina translúcida dos espelhos a multiplicar os corpos avisa do perigo de lhes reter a alma. Tapetes, estofados, almofadas, o ruído dos saltos dos sapatos contra o piso, os poucos animais que transitam com alguma liberdade, cães e gatos, toda a solenidade daquele mundo guardando enorme risco.

Apartados de Martius e Spix, Iñe-e e o menino são conduzidos a um aposento sombrio por uma mulher de bochechas coradas e cabelo entre o branco e o amarelo. Ali, são limpos rapidamente com um pano áspero e úmido e têm suas roupas trocadas. Uma mulher os leva a uma cozinha e tenta fazer com que comam um mingau grosso e um tanto repugnante. Tanto Iñe-e quanto o menino Juri recusam o que lhes é oferecido. Estão enjoados. Depois de algum tempo de sossego e vigilância, são conduzidos à sala do trono, onde um ajuntamento de gente os olha com curiosidade ou ferocidade, Iñe-e não consegue distinguir o que os move exatamente. Mas lhe parece que todas aquelas pessoas se agregam em uma única e gigantesca cabeça de boca aberta a fazer um ruído que ela mesma não sabia até ali que pudesse ser feito por gente, articulando uma boca faminta por engolir a ela, ao menino, aos bichos e às plantas ali colocados em exibição. Uma boca ansiosa por saber deles a fibra e a consistência, e que, possuindo muitos e dessemelhantes olhos que variam de cor, ora azuis, ora verdes, e também escuros e amarelados, tem o poder de devassar todos os corpos, deixando à mostra estômagos, corações, tripas, sem, no entanto, devorá-los como deveriam. Só desperdício. Era um festejo bárbaro, e ela e os outros, o butim.

Ao contrário do menino, naturalmente curioso e vivaz, Iñe-e evita olhar os brancos diretamente. Espreita-os de soslaio, o suficiente para intuir quem são. Um homem de casaca negra berra algo para os cientistas, e é extremamente desagradável. De sua boca respinga cuspe, e seus dedos pegajosos como o caucho ora tocam a mão de Spix, ora tocam o ombro de Martius e, ao tocá-los, seus dedos se desmancham, elásticos, em uma calda grossa. Para seu horror, o homem se aproxima dela e, então, ela sente as mãos dele primeiro em seu cabelo, depois escorrendo para o queixo, abrindo sua boca, enquanto os olhos como uma luz maligna examinam-lhe os dentes. Relembra o dia no navio em que acordara com as mãos do capitão entre suas pernas. Depois o homem toca seus ombros, bate em suas costas e por fim lhe golpeia as pernas como se quisesse saber se são firmes. Essa coreografia de gestos ela já conhece e detesta, porque a machuca de muitas maneiras. Quando o homem termina de examiná-la e passa a investigar o menino, Iñe-e sente ainda o visgo dos seus dedos moles em cada lugar dela que ele tocou.

Quando finalmente o rei aparece, vem acompanhado da rainha e dos filhos. O rei tem o péssimo hábito dos brancos de deixar cabelo crescer na cara, o que a enoja. Talvez entre eles seja sinal de que é um grande chefe, mas, para ela, trata-se de um sintoma de fraqueza de caráter. A mulher tem olhos muito penetrantes, e acima deles suas sobrancelhas são como duas lagartas escuras que, embora muito próximas, parecem prestes a se arrastar em diferentes direções. Ela olha para Iñe-e com curiosidade, talvez algum horror, e diz algo ao ouvido do marido sem desviar os olhos da menina. Os filhos maiores também comentam coisas entre si e as filhas pequenas saltitam como macaquinhos. Logo cercam Iñe-e e o menino Juri, e Iñe-e pensa que, se tivesse, poderia lhes oferecer um punhado de tucumãs, que elas se afastariam aos pulos, contentes, satisfeitas. Toda aquela festa e ajuntamento de curiosidades a enfadam. O cansaço que sente tem o peso de muitos fardos.

XVII

A história é mestra do futuro, mas também do presente, sussurra Martius para o combalido Spix, a quem abraça, emparelhando-o ombro a ombro. Muito embora exaustos, sentem-se de novo integrados, pertencentes a um mundo que os compreende e acolhe a delicadeza. São homens diferentes estes que regressam, sabem bem, mas ainda cabem naquele lugar que os nutriu e viu crescer. O ajuntamento de pessoas em seu redor configura-se quase como um círculo iluminado, é no que Martius acredita. A história é mestra do futuro, mas também do presente, repete a si mesmo mentalmente, enquanto o passado retorna em cores muito vivas. Não lhe ocorre, porém, que o presente e o futuro possam iluminar o passado. A visão de Iñe-e e do menino Juri entre os nobres é como um detonador de um sentimento que não consegue distinguir. Tem a sensação de que algo possa estar fora de lugar, mas credita isso aos anos de Brasil, percorrendo o sertão e os igarapés, desacostumado da corte.

Relembra a terça-feira de 14 de julho de 1817, quando aportou no Rio de Janeiro de carona com a comitiva da princesa Leopoldina. A cidade, aquele enclave ilógico, simultânea e rapidamente se configurara como um recorte de civilização e cultura bem-comportada e avançada ao modo europeu, só que em fricção contínua e incômoda com a barbárie. Se num primeiro momento a cidade parecera a conjunção perfeita entre natureza e civilização, oh, Deus, quanta beleza pode invadir nossos olhos!, o turbilhão de negras e negros impertinentes com sua existência ruidosa nas ruas da capital brasileira, vendendo suas cocadas e frutas, dando conta de existir aos gritos e gargalhadas, invadindo os limites dos corpos com seus suores, seus pregões, seus torsos nus, oferecia aos seus olhos um espetáculo extravagante e, por que não dizer, selvagem.

Os diferentes idiomas da multidão dessa gente, de todas as cores e vestuários, se cruzam; o vozerio sempre interrompido e sempre repetido com que os negros levam de um lado para o outro as cargas sobre varas; o chiado de um tosco carro de bois de duas rodas em que as mercadorias são conduzidas pela cidade; os frequentes tiros de canhão dos castelos e dos navios de todos os países do mundo, que entram, e o estrondo dos foguetes com que os habitantes quase diariamente e já de manhã cedo festejam os dias santos confundem-se num estardalhaço ensurdecedor.

Por um instante, Martius como que volta àquele passado, ao alarido, ao olhar que se inaugurava naquela terra. Somente quando saiu do Rio para a região de São Paulo é que se deu conta da grandiosidade daquilo em que se metera. Em noventa quilômetros de viagem, uma amostra do céu e do inferno. Três guias, uma tropa de mulas, ele, Ender e Spix em seus cavalos rumo a São Paulo, atravessando a serra do Mar. Lembrava palavra por palavra o que fora colocado no relatório ao seu rei:

"Diante de tanta riqueza de formas, não temos mãos e olhos suficientes para realizar nosso trabalho."

A luz amarela do desenho de Ender, pintor que acompanhou a comitiva em seus primeiros passos, retratando o início da viagem, agora lhe parecia pálida demais, uma idealização solar das durezas e provações heroicas, sim, por que não?, pelas quais ainda passariam ele e Spix. Do quanto ambos estavam despreparados para as gentes e a natureza do Brasil. De quanto fantasiara um país sem existência cabível no real e de como, ainda agora, o Brasil lhe parece fugidio, inapreensível.

Se a história é uma mestra, qual é a sua face? Ela é a configuração do passado apenas? Martius volta ao salão da festa, o braço de Spix apoiado em seu ombro, e tenta afastar a excitação, perguntas e lembranças que o invadem. No entanto, relembra a água salobra das cacimbas quase secas do sertão baiano que lambia desesperado como o bicho que não era e que terminantemente se recusava a ser. Aperta os olhos como modo de sufocar o incômodo que o invade. Então toma ar e respira fundo, porque agora tudo deve ser celebração pelo regresso, prestação de contas e, é claro, um pouco de glória.

Mas neste momento, por um átimo, seu olhar cruza com o de Iñe-e. E uma sombra anuvia seu pensamento.

XVIII

Depois de algum tempo Iñe-e não pôde mais escutar o rio e suas histórias. As paredes do castelo, o frio, os ruídos daquele mundo se tornam por demais imperativos e impedem que a voz da água encontre tradução nos seus ouvidos. De um modo que não compreende bem, a menina sente falta do rumorejar de Isar. Sente terrível falta da maloca, do cotidiano que havia sido partido como um galho na tempestade e, principalmente, da pele morna da mãe. Um buraco claro como um relâmpago se abre dentro dela e cresce. Não sente fome, sono, vontade de nada. No castelo do rei tudo é assustadoramente longe dela mesma. Aquele sentimento, ela sabe, é outro nome para doença.

Logo nos primeiros dias após sua chegada, as filhas mais novas do rei elegem Iñe-e e o menino Juri como seus novos brinquedos. Iñe-e sente-se cansada e tudo aquilo a molesta. Além do mais, as filhas do rei possuem bonecas, filhas que não se mexem, meninas em tudo iguais a elas, de peles muito pálidas, de cabelos e olhos claros, mas muito pequenas. Meninas cujas peles parecem de barro branco cru, cujos olhos não piscam nunca e de cujas bocas não saem palavras. Iñe-e imagina que podem estar vivas e presas naquela paralisia, e um tremor a atravessa quando as vê nos braços das duas meninas pela primeira vez. As filhas do rei tratam essas bonecas com muito carinho e suas vozes se tornam mais finas quando falam com elas. Uma coisa assombrosa. Iñe-e sente medo das bonecas e das vozes melífluas das meninas. As bonecas, ela sabe, têm outro tipo de vida, então é preciso respeitá-las, não aborrecê-las, cuidar para que não se zanguem.

As filhas do rei tratam Iñe-e como tratam suas bonecas, puxam-na pelos braços, insistem em pentear seu cabelo e repetem palavras incansavelmente com aquelas vozes adocicadas, talvez na esperança de que Iñe-e lhes responda de algum modo. Como as bonecas, entretanto, a menina não reage. Quando se aborrecem com Iñe-e, a abandonam por alguns momentos, trocando-a pelo menino Juri, que às vezes se mostra mais receptivo e até responde a elas com risadas e olhos muito espertos. Mas nem sempre.

Ao fim da primeira semana, as duas crianças serão batizadas em uma cerimônia oficiada por um padre sonolento. Causará espanto aos fiéis que o menino não tenha retirado o chapéu em sinal de respeito a Deus ao entrar na igreja. São sempre impressionantes as coisas que as pessoas escolhem para se escandalizar. Mas o incidente será rapidamente resolvido, e se desculpará a natureza ingênua e selvagem do pequeno bárbaro.

Isabella e Johann são os nomes escolhidos para a nova vida que os brancos pensam dar a Iñe-e e ao menino Juri sob os desígnios do rei, que, a propósito, se chama Maximiliano I da Baviera. É curioso que a um rei se possa destronar, guilhotinar ou até executar ante a salva dos fuzis, mas que seu nome ninguém retire. Mesmo que deixe de ser rei, seu nome composto de vários outros nomes, em uma teia labiríntica de ascendentes, será sempre uma marca do privilégio que recebeu ainda em berço. Isso, claro, se for um rei branco. O menino Juri, por exemplo, que sucederia a seu pai em algum momento de sua vida na floresta, tem seu nome negado. O certo é que para seus captores só interessa saber que ele é Johann, do povo juri, e ela, Isabella, do povo miranha. Ou tão somente Miranha e Juri, dois rostos sem corpo, dois nomes sem história.

XIX

Quando, em uma noite de fins de janeiro de 1821, depois de assistir junto ao rei e às princesas a uma apresentação da peça de Schiller *A donzela de Orleans* e de, junto com a família, se comover com o heroísmo da jovem Joana D'Arc, na ficção sendo perdoada em vida, para depois morrer heroicamente no campo de batalha para a glória da França e do rei francês, a rainha Karoline Friederike Wilhelmine von Baden percebeu que a caçula, sua pequena Ni de cabelo de açúcar, ardia em febre. Não sabia ela que toda ou quase toda a alegria de sua vida começava a se desvanecer como fina nuvem em um céu da primavera ainda distante naquela Baviera castigada por um frio nunca antes visto. Nos dez dias que se seguiram, a mulher se colocou aos pés da cama da filha com o coração apertado pelo medo de perder aquela criança tão carinhosamente amada.

Protestante em uma corte católica, Karoline sentia-se parte de uma fauna excêntrica, menos excepcional que as crianças selvagens, é certo, mas talvez mais grotesca aos olhos dos conselheiros e dos homens da Igreja, embora no contrato matrimonial tenha sido assegurada a prática irrestrita de sua religião. Conhecera o marido, a quem chamava carinhosamente de Max, quando ambos se encontravam exilados em Ansbach, nesta mesma Baviera. De Max Joseph, príncipe sem terra, recebera uma declaração superlativa.

"Querida prima Amalie, você há de me considerar o homem mais ridículo do mundo por escrever-lhe esta carta muito embora vivamos ambos sob o mesmo teto. Mas a escrita expressa melhor do que a voz, especialmente neste caso, em que não sei distinguir se o que me leva é a sorte ou o infortúnio da minha vida. Eu amo a princesa Karoline, querida prima, melhor ainda, *J'en suis fou*. Estou bem ciente da audácia de oferecer-lhe minha mão nas circunstâncias em que me encontro, mas ao mesmo tempo sinto que sua aceitação me tornaria um homem mais feliz. *Deign to be my lawyer* desta vez. Diga-lhe que um coração amoroso, tanto que não pode ser dito em palavras, além de um caráter reto e honesto, podem levá-la a desviar o olhar sobre a minha idade e condição de viúvo, pai de quatro filhos. Assim, imploro que não rejeite o pedido que de joelhos faço. Atrevo-me a assegurar-lhe que ela nunca se arrependerá, que meus mais queridos esforços serão fazê-la feliz e expressar a mais profunda gratidão até o fim da minha vida. Eu apenas peço que ela retribua com alguma amizade por mim e gentileza para com meus filhos, que se esforçarão para mostrar sua dignidade. Leia minha carta para sua amada filha, querida prima e, acima de tudo, não a influencie. Ao coração dela cabe ditar a resposta. No entanto, caso ela não aceite, ficarei conformado em não estar para sempre ligado a ela."

A carta, porém, não antecipara os dias de fuga, os talheres e as joias recolhidos, ela grávida, fugindo com o marido e as crianças pelas estradas, despachados às pressas para locais mais seguros. Todo o exílio e toda a guerra antes da coroa castigaram seu corpo, se lembrava mesmo das desconfianças de que pudessem tê-la envenenado, e se o espírito parecia tenaz, o medalhão com a mecha do primogênito natimorto era um alerta de que a dor habitaria seu peito para sempre. De certo modo ela pressentira que algo não acabaria bem, desde que, semanas antes, deitara os olhos pela primeira vez sobre os pequenos selvagens brasileiros. Na ocasião, sentira uma emoção que não soube definir se era uma excitação de leve ansiedade ou de mal-estar. Talvez porque alardearam a origem canibal de uma das crianças e os hábitos das distantes e selvagens tribos de onde os cientistas as transplantaram como pequenas palmeiras. A manchete do *Eos*, que ela cuidadosamente copiara em um caderno de anotações, reafirmava essa procedência.

O caderno da rainha se constituía em uma miscelânea de notas pessoais sobre o mundo que a cercava, especialmente de suas leituras, sua antipatia por Napoleão Bonaparte, suas orações e, ainda, excertos de jornais e revistas, observações sobre assassinatos célebres e casos que a impressionaram. A mulher achava instrutivo alimentar esse documento e, ademais, gostava de escrever, tanto essas notas como também pequenos versos que decorava, reflexões sobre os filhos, aqueles que perdera no começo do casamento e os que até ali sobreviveram, a família, pequeno mundo de uma rainha, pois, apesar do dinheiro, nome e tradição, ainda era uma mulher com todas as limitações que esse fato impunha. No sábado que antecedera o batismo de Iñe-e e do menino Juri, sentou-se à escrivaninha e escreveu uma carta à mãe contando dos tesouros adquiridos pelo marido: 85 mamíferos, 350 aves, 2700 insetos, 6500 plantas e duas crianças.

O menino é filho de um rei da sua tribo, chamado Schouri, anotou ela. Ele foi capturado com muitos outros e comprado por esses senhores — por dois machados. Na sua idade de doze anos, ele é alto, forte e de uma raça que não come carne humana. Mas a menina de dez anos é enorme e bastante quadrada. É da espécie dos ogros. Mas nem tudo é tranquilidade. Schouri, o brasileiro de Martius, ontem mesmo quase morreu de dolorosa congestão de humores no peito em decorrência de uma febre hepática. O rei ficou profundamente aflito, temendo perder o pobre Schouri, de quem esperava muita satisfação.

Passado o Natal e as celebrações do Ano-Novo, o desconforto que a espreitava se apresentou mais intensamente. Ao ouvir a risada cristalina e matinal de suas meninas mais novas, em contraste com a apatia das crianças da floresta, a mulher começou a se sentir uma espécie de ladra. Afastava o pensamento incômodo, afinal acreditava que salvava aquelas pobres almas do estado de barbárie, mas ele, o pensamento, continuava a rondar, como uma minúscula mosca espreita uma torta. Intrigada com o conflito, chegou à conclusão de que a presença das crianças era o elemento de desequilíbrio e, assim, solicitou ao rei que pudesse ser tomada como uma benfeitora dos exóticos, cuidando de que tivessem acesso ao que mais precisassem, desde que fossem afastados do castelo. E assim foi feito, logo depois do batismo, Iñe-e e o menino foram deslocados para a casa de Spix, onde ficariam sob a custódia dos dois cientistas.

Quando ao fim da tarde do décimo dia de sua agonia a pequena Ni entrou no vale da sombra da morte, a mãe tomou-a nos braços e assim ficou com ela por longas seis horas. Quando a respiração sofrida da criança por fim cessou, atravessando a imagem desoladora da mãe dando colo à menina morta, como um clarão, de dentro da sua dor, a rainha sentiu um ferrão doloroso que inflamando sua carne dizia que, em algum lugar do mundo, as mães das crianças selvagens, que foram trocadas por machados, facões e chitas, haveriam de estar talvez feridas de morte pela ausência delas. Lembrou-se então das lágrimas que caíram perante os versos de Schiller no prólogo de *A donzela de Orleans*:

Adeus, colinas, campos que eu amava!
Adeus, sereno vale! Adeus!
Adeus, pois nunca mais virei pisar teu chão!

Ó plantas que reguei, ó belas árvores!
Eu vos plantei! Alegres, verdejai!
Adeus, ó fontes de água fresca e pura!
Ó doce eco — ó voz do fundo vale
que tanto respondeste aos meus cantares —
Joana vai! Não volta nunca mais!

O corpo frágil de Ni, ainda quente e encharcado pela febre, convulsionava pelos soluços de Karoline.

XX

Uma menina índia, sentada em um degrau, balança um chocalho de um lado para o outro. Deve ter quatro ou cinco anos de idade. No máximo, seis. A luz do meio-dia é ofuscante e os raios de sol fincam presas agudas na carne. O som do chocalho responde ao canto dos pássaros, permite que o suor escorra em um fio lento e morno, levanta a brisa que agita as folhas das árvores. O som do chocalho é o leque que branqueia a paisagem com sua luz e é a música monótona que marca um tempo descolado do próprio tempo.

Há muito Iñe-e não escuta o som dos chocalhos. Lembra dos bailes de sua terra, do tempo de caçada, dos rituais. De quando o tabaco e a coca se transformavam em armadilhas, armas de caça. Na caça do tabaco, depois que este era consagrado, os espíritos dos bichos se transformavam em mulheres e, assim, viravam inimigos. A caçada era a guerra. Guerra pequena. Guerra de festa, mas nem por isso desimportante. Os homens partiam para a caçada enquanto as mulheres ralavam a yuca alvíssima. As mulheres, aquelas mesmas, sua mãe, suas tias, suas avós e irmãs, eram os animais a serem caçados e ao mesmo tempo eram também os bolos de yuca que preparavam. Depois que os espíritos entravam na cabaça de tabaco, os animais caíam nas armadilhas e então eram trocados pelos alimentos. Um dia, Tsittsi a caçaria assim. Mas não havia lugar para tristeza, tudo era cura.

Se Iñe-e fecha os olhos, pode escutar os cantos dos seus parentes e o som do chocalho da menina índia que, sentada em um degrau, movimenta o mundo. E também as vozes dos meninos, dentre elas a voz de Tsittsi cantando

> *está sentado*
> *mastiga coca*
> *está sentado*
> *peneira coca*
> *está sentado*
> *pilando coca*
> *sabe falar*
> *palavra coca*

Iñe-e responde com a voz que mora dentro de sua cabeça, a voz silenciosa que aprendeu a cultivar nesse tempo de imensa distância,

> *com o pensamento de maní*
> *ela dorme*
> *com o pensamento de yuca*
> *ela dorme*
> *ela dorme ela dorme bem*

Assim era antes, quando a boa e acolhedora palavra, a palavra da coca mais a da yuca doce e do tabaco a envolviam na língua que ela conhecia e que era profundamente ela. Mas hoje, diferente do que o canto diz, ela não dorme bem. O chocalho a desperta em sobressalto cada vez que o sono vem fechar seus olhos. Acorda-a com um pequeno susto antes que ela caia no poço sem fundo e em uma espiral colorida do sono. Primeiro, julga ouvir seu nome na voz da prima Tikiineraí; depois, de olhos fechados na escuridão, vê surgir a cabeça iluminada de Tipai uu, quente e amarela como uma grande bola de fogo, e abre os olhos para se certificar de que a grande onça apareceu dentro do quarto, mas sabe em seu coração que não, que ela não está ali; por fim, a fala gelada do vento entra por sua boca. E o sono vai embora completamente.

A menina índia e seu chocalho estão muito distantes da noite insone de Iñe-e. É uma menina pequena e magra, seus olhos se fixam no vazio, à sua frente um cesto colorido abre uma boca ovalada para as moedas que as mulheres brancas e seus filhos depositam nela. A mãe e o pai estão do outro lado da calçada. Na esteira deles, a mercadoria: anéis de coco, bichos de madeira, colares e pulseiras, outros cestos e chocalhos. A criança toca o instrumento que tange o mundo que ela conhece e o mundo que ela enxerga no vazio. As sementes no oco da cabaça realizam uma trajetória em curvas regulares que multiplicam sua potência. Do lado de fora, o rosto da menina marcado por pintas negras de jenipapo não esboça nenhuma reação para a mulher que a saúda com um *oi* um tanto risonho, um tanto constrangido, tampouco para a outra que, da porta da sorveteria, a fotografa sem disfarce com o aparelho celular. A música do chocalho faz com que ela veja Iñe-e flutuando em uma cama, ardendo em febre, e outra menina, índia como ela e Iñe-e, mas de dentes estragados, sendo arrancada por uma mulher branca do colo da avó. O chocalho faz o seu tchá-tchá, e as meninas somem. O chocalho faz o seu tchá-tchá baço, e uma profusão de antas, capivaras, tatus e macacos aparece em desabalada carreira. A menina pisca, o chocalho para. Ela está cansada e corre para a mãe, que a abraça.

Em Munique recomeça a nevar.

Em Iñe-e o primeiro sangue flui por entre suas pernas.

XXI

Ao fluxo de sangue, Iñe-e responde com medo. O lugar em que uma menina menstrua torna-se sagrado, e ali, naquele quarto escuro e frio, ela não fará o ritual do sangue nem terá a mãe ou a avó para ensinar-lhe o que precisa ser aprendido, como se comportar, como lidar com os alimentos, como tecer os cestos de palha. Não contarão para ela a história da filha do Trovão Envenenado. Yurupari poderia, com razão, se zangar com ela, que, por esse motivo, cai em um pranto convulsivo, agoniado, impossível de ser abafado.

Os lamentos de Iñe-e interrompem o sono dos brancos, dos cientistas, da criadagem e acordam também o menino Juri. Ao acudirem, demoram algum tempo até perceber o fio de sangue, linha coagulada de rio descendo doloroso e incompreensível. A menina está agitada e agressiva, chega mesmo a morder a mão de Martius, e é só depois de algum tempo e a muito custo que conseguem contê-la. Força e medo em conjunção de disposições são agentes perturbadores. Por fim, fica a cargo da viúva Martina, a governanta, a obrigação de lidar com aquele evento, tarefa não das mais fáceis.

Iñe-e, olhos abertos e molhados, respiração ofegante, mãos contorcidas, teme que o seu sangue curare tenha o poder de adoecer, até matar o menino Juri pelo fato de ele tê-la visto naquela situação. Um sofrimento a mais. Se afeiçoou a ele, querendo-o como a Tsittsi, seu irmão. O menino Juri, por sua vez, sabe as consequências de ter visto o que viu. A viúva Martina se aborrece pela algaravia no meio da madrugada e ainda mais por ter que cuidar da menina selvagem. Não cultiva uma opinião favorável sobre a menina que os cientistas Spix e Martius colocaram a seus cuidados. Agora ainda menos, visto ter se comportado como um animal raivoso. Pedissem que cuidasse de uma cabra montesa e ela teria menos trabalho. Embora tivesse admirado a agilidade com que ela aprendera a manejar a agulha e a linha, creditava isso a uma inata capacidade dos povos da floresta para o artesanato.

Nada inteligente, resmungaria continuamente.

Se ressente de cuidar para que aquela menina, que considera um pouco menos estúpida do que um cão, não se apresente de maneira desmazelada perante os cientistas e os curiosos que acorrem à residência para apreciar os espécimes selvagens. Com as primeiras regras dela, sente que seu trabalho se tornará mais penoso. Se aborrece com o pouco apetite, com os olhos obtusos sempre no chão, com a teimosia e incompreensão a alguns comandos tão simples e com o fato de não a colocarem em uma jaula como colocaram Sara Baartman. Em 1815, quando estivera de passagem por Paris, pôde ver, não pessoalmente, que suas posses não o permitiam, mas estampada em jornal, a impressionante figura da Vênus Hotentote. A notícia dava conta de que fora adestrada como um urso, que entrava e saía de sua jaula obedientemente, a imagem revelando os detalhes daquele corpo inadequado aos padrões de normalidade socialmente aceitos por ela e por qualquer cristão. Obviamente a viúva Martina não conseguiu enxergar no desenho o rosto aturdido de Sara, do mesmo modo que não consegue perceber a perplexidade no rosto de Iñe-e que está logo à sua frente.

Não passa de uma mona suja, empesteando tudo!, reclama para a Fraülein Adelheid, uma das serviçais com quem divide os afazeres, enquanto grosseiramente enfia entre as pernas da criança um pano dobrado e volumoso, com a finalidade de conter o fluxo menstrual.

2.

A gente quer passar um rio a nado, e passa; mas vai dar na outra banda é num ponto muito diverso do que em que primeiro se pensou.
| Guimarães Rosa, *Grande sertão: Veredas* |

I

Os carros e suas buzinas, os ônibus lerdos, enfileirados, pessoas nas calçadas ou atravessando a rua, de um lado para o outro, surgindo das entradas subterrâneas das estações de metrô, o piscar quase místico, hipnotizante, dos semáforos. A avenida Paulista, motor de São Paulo, congregando boys com ternos baratos que aspiram a postos em grandes empresas, mulheres elegantes de escarpins de verniz escondendo as fotografias chapadas dos crachás de identificação, um artista de rua imitando Elvis Presley, uma estátua viva de Maria com uma boneca de plástico feia e suja servindo de Menino Jesus, uma travesti esfarrapada, feridas de herpes no canto da boca, mendigos nas calçadas pedindo esmola para a ração dos cães, talvez porque as pessoas sintam mais empatia pelos animais do que por aquela gente encardida e amontoada.

Josefa vê na fachada do centro de cultura a chamada para uma exposição que promete cinco séculos de história do país sob um recorte curatorial esmerado. Logo na entrada, a dramaticidade de gravuras da fauna e flora brasileira dispostas em uma enorme parede ao lado de uma escada em meia espiral causa como que uma leve vertigem. É um misto de concessão à dramaticidade barroca com a estética Ikea. É para ser de bom gosto, mas Josefa acha brega ou fake, não sabe bem. O lugar é asséptico, a iluminação, planejada e fria, e certamente não há sangue dos negros e dos índios pingando visivelmente sobre documentos, telas, manchando as moedas antigas. E, embora a instituição pertença a um banco, não há, ao menos aparentemente, a pele do povo esticada nas molduras.

Josefa é uma mulher que fugiu. Em todo lugar do

mundo, em qualquer tempo, há uma mulher fugindo. Quando uma mulher foge, invariavelmente foge de sua história, de um passado incômodo que se materializa numa relação abusiva, ou de uma vida que se afigura mesquinha ou limitante, ou dos ecos de algum fracasso, ou de uma vida que não soube ou não pôde se reinventar. Josefa não sabe exatamente do que fugiu. Ou não quer saber. Mora há três anos na metrópole e, desde sua chegada, segue operando estratégias de apagamento da própria identidade. Não mantém contato com os amigos e familiares que deixou para trás, se educando em novos gostos, novas experiências, construindo uma desidentidade. Nada assim tão bem pensado, tão planejado, mas vivido cotidianamente. Quando se deita na cama, apaga sob o som vertiginoso do trânsito da avenida mais próxima. Não quer pensar por que veio ou no que deixou. Não há mal algum em viver o agora, repete para si mesma. Se divide entre traduções e a escrita de livros didáticos, a única literatura que dá retorno neste país, costuma brincar, e as aulas a que assiste na universidade são como ouvinte, já que não consegue decidir se quer seguir carreira acadêmica ou não.

Na exposição, observa com atenção os documentos, o espantado Hans Staden diante do ritual de canibalismo, a visão espetaculosa da natureza tropical, os espaços vastos e luminosos do Recife vistos pelo artista holandês. Ao entrar em uma nova sala, sente, de repente, uma opressão no peito. Nas gravuras, os rostos dos índios parecem todos olhar para ela, como se estivessem vivos, ou melhor, como se fossem fantasmas espantosamente nítidos a perscrutando. O estilo vivaz de Debret a assombra; entretanto, é um grupo de três obras, três rostos, que a enreda.

Os índios vistos como parte da fauna: o texto da parede em letras graúdas a atinge como um soco.

Murmurando, Josefa lê a informação que segue esse anúncio com um sentimento de incredulidade. Sem nenhum adorno, sem nenhuma vergonha em naturalizar a barbárie, as palavras do curador a desnorteiam.

Os naturalistas Spix e Martius chegaram a levar do Brasil para a Alemanha o casal de índios representado nestas gravuras (*Miranha* e *Juri*, 10 e 11). Sem imunidade alguma contra doenças comuns na Europa, mesmo uma simples gripe, o casal morreu depois de apenas alguns meses no novo clima.

Os costumes e adereços dos índios suscitavam grande curiosidade no Velho Mundo e, por isso, foram assunto obrigatório dos primeiros álbuns publicados na Europa, com base nos desenhos realizados no Brasil por artistas e naturalistas viajantes.

Josefa volta a encarar as figuras, uma menina entre um homem ataviado de penas e outros adereços e um menino com parte do rosto, abaixo do nariz, com uma grande tatuagem. São imagens comuns em livros da escola fundamental, imagens bem conhecidas, mas que, ali, em sua forma original, acabam lhe causando um desconforto que não é apenas indignação política. Depois de permanecer longos minutos em frente às gravuras denominadas *Muxurana*, *Miranha* e *Juri*, Josefa vai embora. A exposição se encerra ali para ela. Mas irá voltar.

II

A terra sempre vomita o que lhe faz mal. Também os rios, especialmente aqueles a que se faz engolir a pulso a doença ou o veneno. Do mesmo modo o ar, os oceanos. Seis anos antes de Iñe-e espiar pelo vidro frio da janela do quarto em que dormia Munique amortalhada de branco, gélida e petrificada, na ilha de Sumbawa, muito longe dali, uma grande montanha desengoliu o que a afligia, um sangue pastoso, a bile em brasa. Foram meses e meses vomitando aquela baba quente. Tanto que a montanha se apequenou depois daquilo, milhares de bichos, plantas, homens, mulheres e crianças morreram engolfados pela lava, sufocados pelas cinzas. Mesmo o mar se enegreceu de detritos. Então, no buraco que ficou no que antes era o topo da montanha, formou-se primeiro uma caldeira e, passado muito tempo, um lago.

A doença da montanha se espalhou pelo céu e subiu tão alto que cobriu o sol, e todo o mundo esfriou. Não houve verão naquele ano. Houve cheias gigantescas, as plantações foram perdidas, doenças que refletiam os males da montanha se espalharam entre as pessoas. E os anos que se seguiram foram de frio, sombras, fome e morte. A floresta, que era a casa de Iñe-e, esfriou o seu bocado, mas nada parecido com aquilo que ela via naquele estranho país dos inimigos. A neve espalhando seu mal pelo chão, pelos telhados das casas, embranquecendo e matando as árvores, engrossando a água.

Desde antes de aportar em Portugal até ali, não havia sinal do sol. Isar tinha lhe falado sobre a neve caindo em penugens fofas de pássaro, havia falado também das nevascas e de seus braços enrijecendo, o fluxo em sólida artrite.

Mas o furor daquilo tudo só poderia ser um sinal de moléstia ou feitiço. Iñe-e não sabia da montanha de Sumbawa, mas sabia que algo estava muito errado. Fora dela e dentro dela também.

III

Eram meados de março quando o frio se instalou de forma permanente dentro do corpo do menino Juri e passou a abrir-se em pústulas dolorosas do tamanho de um grão de milho. Primeiro apareceu uma em um braço. Depois apareceram duas outras, nas costas. Quando uma secava, duas outras explodiam na pele. Uma noite, o vento invadiu as frestas da casa, dissimulado e fragmentado e, conseguindo adentrar por completo, se assomou em grande rosto de homem branco que, debruçado, acabou por soprar nele, com um tipi, como se assoprasse rapé, uma rajada de seu hálito do nariz até o peito do rapaz adormecido. Entretanto, não era esse um sopro do sonhar, tampouco sopro do colibri, não era medicina de onça nem de jiboia, mas doença, que nessa lufada raiou-se em uma lança de duas pontas que passaram a sangrar de roxo seus pulmões, congelando uma a uma as flores com as quais respirava e as substituindo por outras doentias, de neve e pus. Os cientistas acharam por bem aplicar sangrias no menino enfraquecido de febre e dores que se alastravam do peito para todo o corpo. A respiração, um movimento difícil, como a ferrugem dificultando a planura do ferro.

O menino Juri respondera com valentia a tudo o que vivera até ali. Sentira medo, é certo, quando fora capturado pelos miranhas e, depois, quando fora separado dos irmãos e do pai. Sentira o peito oprimido na travessia do Atlântico com as tantas mortes que ocorreram e ainda o fragor do mar a seu redor. Mas é certo dizer que até ali não conhecera o sentimento de pavor. Interessava-se pelos cientistas, pelo mundo ao contrário dos brancos e, quando se entristecia muitas vezes, acreditava também que aquilo por que passava fortalecia seu espírito. Foram precisos muitos braços para contê-lo quando os cientistas se apresentaram decididos a tratar sua enfermidade com a aplicação de sangrias.

Que feitiçaria lhe impunham, logo a ele que sempre fora tão dócil?, perguntou-se, os olhos injetados de terror diante da força dos muitos homens que o ataram à cama e o obrigavam a ser comido vivo pelos horrendos bichos que inflavam como demônios ao beber do seu sangue e da sua gordura. Mas, sob a voz mansa de Spix, acalmou-se.

Caracara-í, era esse seu verdadeiro nome, acreditava que já nascera nadando. Não lembrava outra vida em que suas nadadeiras não afastassem o líquido lençol das águas em sincronia de dança. Quando era bem pequeno, achava mesmo que não havia diferença entre ele e os peixes. Compreendeu que haveria de ser um tipo distinto, que pudesse ter uma vida fora da água, nadadeiras que se convertiam em braços e pernas quando em terra firme. De fato, Yo'i, herói de sua gente, em tempos muito antigos, pescara com sua vara os primeiros juris das águas vermelhas do Eware.

Mas com o mal que lhe afligia ele vira perder-se definitivamente a sua conformação de peixe. Estivera por muito tempo longe das águas de sua terra, e em sua pele suada não rebrilhavam mais as escamas translúcidas que seu corpo adquiria quando nadava. Afogava-se em si mesmo, sem que houvesse água ao redor. Afogava-se por dentro, e esse era verdadeiramente o começo do terrível. Não era mais aquele que havia sido. Sentia-se muito velho e cansado. Não conseguia mais respirar aquele ar, e não havia por ali nenhuma ravina ou igarapé que o pudessem curar. Quando não houve mais ar que chegasse, e todo o líquido já transbordava sufocando-o a partir do peito, percebeu-se um peixe que se debatia na areia escura, envenenado do oxigênio que não mais lhe tinha serventia.

Transido de dor, ardendo em um fogo que não arrefecia e sentindo-se sozinho no mundo, ele viu, de repente, diante de si o menino Djói e a menina Movaca trabalhando dentro do joelho direito de Nutapá, suas mãos muito ágeis, mágicas, fazendo alforjes, zarabatanas, flechas envenenadas. Viu também uma grande onça no momento em que era devorada pelas piranhas, depois nuvens de marimbondos e um peixe grande e gordo que, voando como esdrúxulo pássaro por entre as árvores da floresta, parecia chamá-lo. Caminhava como se não tivesse pés. Foi quando então chegou a uma samaumeira grande e brilhante, cuja copa atravessava mesmo os limites do céu. À medida que subia pelo tronco rugoso e enervado, percebeu que suas dores pesavam menos. A copa, que lhe parecera a princípio escura, rebrilhava de vagalumes. Percebia outras centenas de olhos brilhantes que lhe pareciam indicar os melhores galhos para apoiar os pés, para sustentar as mãos. Uma dupla trança de cipós surgiu e, ao se segurar nela, começou a ser puxado suavemente para cima. Cabeças de onças pairavam como estrelas, e então ele sentiu ganhar novamente seu corpo esguio de peixe, abriu os olhos, viu as mãos de sua mãe no alto, esticando os dedos para pegá-lo. Recuperava a respiração. Estava na água! Sim, era como nascer de novo. Puxou o ar com suas melhores forças e então empreendeu um voo vertical até onde as últimas folhas tocavam o espaço. Deixara tudo para trás.

 O jornalista do *Eos* anota para a próxima edição as palavras que a rainha Karoline de Baden logo irá copiar em seu caderno com sua letra caprichosa. A notícia leva lágrimas a seus olhos, lembra a alegria de Ni ao brincar com o menino.

Faleceu o jovem indígena Johann Juri a quem os cientistas doutores Von Spix e Von Martius libertaram do cativeiro no Brasil e trouxeram para esta cidade de Munique. Sua morte foi consequência de uma pneumonia crônica e de supurações causadas pelo estranhamento ao nosso clima. Ele suportou essa doença duradoura com muita tranquilidade, mantendo o caráter calmo que sempre demonstrou. Morreu tão gentilmente quanto viveu.

O sacristão, por dever do ofício, é mais sucinto que o jornalista. Não cabe em suas obrigações para com o livro de tombo oferecer detalhes que certamente interessarão somente a Deus. Na ausência da outra data que importa, a do nascimento, e de grandes feitos, a procedência é por si só suficientemente eloquente. É tão somente um brasil, um selvagem do novo continente cuja sorte o fez ser adotado pela Baviera. E é o que basta.

Juri, da América — Johann Juri do Brasil, falecido em 11 de junho de 1821, às seis da tarde, depois de longa enfermidade.

IV

Aula de anatomia na universidade. Primeiro, o corpo é lavado com água morna e sabão. O mesmo sabão usado para outros corpos anteriores, para o mendigo que, bêbado, fora atropelado pela carruagem do duque, para a prostituta ruiva e sifilítica. Diante da mesa, olhos se multiplicam, abertos, atentos. O escriba, um estudante imberbe, anota os detalhes que o cientista percebe e relata em voz alta. O longo desenho de um Y é feito pela mão de Martius e sua lâmina: começa no púbis e vai até o pescoço. O sexo, um pássaro pendido. Não, é preciso corrigir. Não se trata de um desenho feito a bisturi, é um rasgo. O corpo é aberto como uma fruta, a casca mole fendida exibindo a polpa, o açúcar grosso, vermelho, coagulado. As vísceras são, então, minuciosamente examinadas. Os tecidos separados em preservados e deteriorados. No estômago, o que escapou do último vômito. Os pulmões estão cheios de secreção, e ela pesa. Os pulmões estão supurados, os alvéolos como flores malcheirosas, esvurmadas, de um amarelo envelhecido. Os olhos estão fechados.

Outro corte exato separa a cabeça do resto do corpo. O rosto é bonito e sereno. Parece dormir. A tatuagem é escura e quase retangular e vai do centro do rosto até a base do nariz e acima do lábio. Os ângulos superiores são levemente voltados para cima, movimento que expurga a dureza de quadrilátero. A cabeça é pesada, medida, seus dados anotados pelo estudante. Spix aplica o gesso para a máscara mortuária e conduz a criação da réplica de cera. Depois de doze horas de trabalho, entre a necropsia e a arte, mergulha-se, finalmente, a cabeça em um vidro de formol.

O corpo acéfalo do menino Juri é enterrado na manhã

de 16 de junho no túmulo cedido pela rainha Karoline. Em seu diário de anotações, Martius anota rapidamente:

Fevereiro de 1821, morre Juri.

Iñe-e, que não sabe dos acontecimentos passados entre a retirada do corpo de dentro da casa e a cerimônia em caixão lacrado, sonha que o menino paira sobre a casa com a cabeça em uma das mãos e um relâmpago na outra. Jörg o acompanha. Ambos têm os corpos como que feitos de água. Dali a alguns dias, inadvertidamente, verá, para seu horror, a cabeça de cera do companheiro no gabinete de Martius.

V

Desde que se mudara para São Paulo, Josefa não sentira necessidade de falar de si como desde que visitou a exposição no coração da avenida Paulista. Até ali, suas estratégias de amortecimento haviam sido eficazes. Caso se angustiasse, corria. Pelas calçadas do bairro, no parque, invadindo não raras vezes o espaço da ciclovia. Os muros grafitados, as árvores frutíferas contrastando com o cinza do céu e do chão, os velhotes passeando com os cães, mas esquecendo de recolher a merda dos bichos. Correr importava mais pelo adormecimento das aflições. Correr para não enlouquecer, ela costuma dizer em um tom de zombaria quase exagerado para Tomás.

Josefa o conhecera numa balada latina, depois de participar de uma manifestação feminista, egrégora na qual muitas mulheres e jovens voltaram a se reconhecer a partir de movimentos e marchas e ondas no mundo inteiro. Essa primavera feminista a encontrara em meio à construção de sua nova vida, não que tenha se tornado uma militante no sentido mais exato do termo, mas que, à parte as contradições do mundo em transformação, lhe trouxera uma melhor compreensão de si mesma e de sua história pessoal. Tomás puxara conversa se confessando deslocado no ambiente empanturrado de salsas e *reggaeton*. Havia fotografado a manifestação e fora parar no clube desavisadamente, acompanhando alguns amigos.

Não costumo vir a lugares como esse, ele dissera ao se aproximar. Eu até gosto daqui, mas não sou tão boa dançarina, ela respondera ao rapaz de cabelo longo e sorriso quase infantil. Com o passar do tempo, não estabeleceram uma relação formalizada afetivamente, não chegavam a ser namorados e tampouco firmaram qualquer pacto, embora transassem com alguma regularidade. Uma situação que parecia confortável para ambos. De todo modo, Josefa passou a confiar nele. E, como uma massa de água que houvesse sido represada, um dia, desatou a falar da rejeição do pai, da infância silenciada pela mão de ferro da tia que auxiliara a avó na criação da menina magra e guenza. Não tivera coragem, porém, de avançar e de contar sobre o abandono pelo homem que a engravidara ainda muito jovem e que sumira desde o telefonema em que ela anunciara o início do aborto espontâneo.

Você ligou para o Samu?, ele perguntara; no entanto, o socorro e o afeto que ele parecera prometer ao dizer Calma, que estou chegando, nunca de fato se concretizaram. Josefa passou pelo parto induzido do pequeno cadáver, as contrações que anunciavam não a luz, mas a morte, totalmente sozinha, assim como os dias e semanas que se sucederam.

Josefa não saberia precisar que motivos faziam sua vida aderir à de Tomás. Talvez a discrição que ele mantinha em nunca querer invadir o passado ou o presente dela, talvez a atenção quase reverente, e que era a mesma quando a escutava falar sobre qualquer assunto e quando, a língua entre suas pernas, se dedicava a fazê-la gozar.

Josefa contou também de como se identificara com uma gravura que vira na exposição. Abriu o notebook e digitou rapidamente na janela de busca a sucessão de palavras "Miranha Spix Martius". Logo a imagem da menina índia, o rosto e os olhos levemente agateados, surgiu na tela.

Ela? Você é mais bonita e não tem piercings, mas podemos resolver isso, você sabe.

Ela está triste. E não é livre.

Um breve silêncio se fez entre os dois. Tomás não sabia,

mas aquela criança estaria no centro das próximas conversas, sentada à mesa, enquanto o café era passado, deitada na cama entre eles dois, sua imagem como que fulgurando em uma lembrança muito nova, que ainda estava sendo criada.

Eu sou exatamente igual a ela.

Preciso ir embora, amanhã preciso acordar cedinho, ele desconversou. Mas Josefa não deixou que ele partisse de imediato.

A minha bisavó materna foi pega a laço, sabia? Tenho um tanto de sangue kaiapó em mim. Mas o fato é que todo mundo tem uma avó pega a laço no Brasil, eu, você, o porteiro lá embaixo. Eu cresci com a outra avó, a mãe do meu pai, que me criou, uma colombiana turrona, que falava dessa minha ascendência sempre que alguma coisa ligada à minha índole lhe parecia maior que a sua capacidade de resolução. Era como se me dissesse que havia em mim uma força rebelde, incapaz de ser domesticada. Quando eu a escutava falar assim, parecia que o meu cabelo negro e liso ganharia vida própria, e era como se eu pudesse ver de fora de mim os meus olhos injetados de raiva e medo. O curioso é que essa minha avó colombiana como que crescia, se agigantava ao convocar o meu passado materno, como se estivesse ela mesma prestes a ganhar um novo corpo e novas feições, e que de sua estrutura delicada de ossos estivesse pronta para sair outra mulher, enorme, quase brutal. Então eu achava que uma mulher pega a laço era algo contagioso, e isso era para mim como um grande perigo, sabe?, uma coisa que arrebentava as regras, que eram muitas. Os bons modos que eu aprendia à força, com algumas lágrimas e certa vergonha ao ser repreendida, pareciam diminuir até quase desaparecerem diante da simples referência àquela mulher selvagem. E a casa toda se transformava, insubordinada.

Quer dizer que você sempre foi feroz, hein? Agora eu entendo tudo.

Josefa estava um tanto irritada com o tom de galhofa do rapaz. Na verdade, às vezes se cansava dele, tão jovial. Deixou então que ele se fosse e ficou sozinha com suas memórias. De dentro delas surgiu a tia, irmã de seu pai, a atormentando com uma série de regras de comportamento, disposta a fazer dela um modelo que impressionasse o irmão quando ele viesse, de tempos em tempos, muito espaçadamente, visitar a família. Josefa sentia raiva da tia e da aspereza com a qual ela pensava educar a sobrinha, porém mais ainda detestava aquele homem distante, que aparecia desavisadamente, transtornando a rotina das mulheres. A tia, sempre ansiosa por receber dele algum reconhecimento ao lhe mostrar uma boneguinha bem penteada, bem asseada, que sabia utilizar os talheres; e a avó silenciosamente feliz de que por um ou dois dias, um pouco mais ou um pouco menos, a menina tivesse um pai novamente, o que promovia a pequena da condição de enjeitada à de filha de alguém. Aquele homem sério e sombrio, contido como água represada, se utilizava de um brinquedo ou de qualquer outro penduricalho como uma fraca moeda com a qual pudesse comprar, mesmo que provisoriamente, a paternidade de que abrira mão. Josefa não pensava isso naquela época. Só sentia a tensão da presença dele e o alívio que tomava lugar quando alguém anunciava a partida do homem. Depois da partida, a menina ficava com a avó e a tia, a presença inexorável da mulher pega a laço e o desejo de que o pai não voltasse nunca mais.

Em Munique, Spix se empenha em ensinar português e alemão para Iñe-e. Considera que, se ela conseguir se comunicar, poderá sair do estado brutal de tristeza e entorpecimento em que se encontra desde o falecimento do menino Juri. Sente-se oprimido pelo pesar, e, como uma mão deveras forte sobre seu ombro, o fracasso que mais aquela morte representa. Tais sentimentos o aniquilam.

VI

No desenho a lápis do menino Juri, a beleza do perfil da criança estava intacta, mas Lutz, o desenhista, capturara também a expressão de enfado e um aspecto mortiço no olhar que não passara despercebido a Spix. Sim, o menino estava abatido e dava sinais de fadiga, coisa que o cientista creditava em primeiro lugar às tantas mudanças que ocorreram desde que deixaram a Amazônia. Ele e a menina estranhavam a nova dieta, o clima, a falta da pequena liberdade que ainda desfrutavam antes de partir para a Europa. Eram pássaros delicados, os brasis. A ideia de Martius de apresentá-los em exibições etnográficas pelo continente certamente teria que esperar momento mais propício.

À parte a natureza dócil do menino, logo acostumado a ser chamado de Johann, Spix atentava para como a influência nociva de tudo aquilo sobre seu organismo se alastrava, minando-lhe a resistência. O menino, que era forte, se fragilizava cada vez mais. O homem não podia deixar de comparar o que via com aquilo que vivera no Brasil. Chegara àquele país jovem e forte, e a terra o infeccionara com seu mormaço, mosquitos, instabilidades. Cedera a liderança da expedição a Martius dada a sua debilitação. Pudesse ter sido mais resistente, refrearia a ganância do companheiro, o educaria. Não que tivesse queixas formais dele. Enfrentara as intempéries com valentia e o protegera inúmeras vezes; entretanto, não podia deixar de censurar, ainda que intimamente, sua avidez. E ele acostumara-se tanto à liderança que muitas vezes fizera ouvidos moucos às suas recomendações. Não tinha dúvidas de que, se tivesse morrido antes de voltar à pátria, o companheiro trataria de obscurecer sua participação na expedição ao Brasil.

Evidentemente Munique estava destruindo o menino Juri, Spix constatou ao contemplar o desenho. Pediria atenção redobrada à viúva Martina para com a alimentação dos pequenos. Reforço no leite, nos ovos, naquilo que os pudesse fortificar. Preocupava-se, pois afeiçoara-se às crianças e temia perdê-las. Ao cair da noite, pregava para elas a palavra de Deus, mesmo que não a compreendessem. A palavra de Deus, pensava ele, era tão doce e assertiva que chegaria às suas almas ainda que a linguagem humana fosse imperfeita para comunicá-la. Solicitaria ao rei também um reforço na provisão de lenha.

É preciso cuidar para que sobrevivam estas peças de apresentação viva, anotou no pedido, para que assim se fizesse mais eloquente.

Por conseguinte, perder o menino foi um baque que o atingiu surdamente à boca do estômago. A partir daquele momento, uma espécie de goteira invisível, com seus pingos cadenciados, passou a envenená-lo de raiva de si mesmo. Primeiro, por não ter se oposto com veemência aos planos de Martius de encomendar e comprar as crianças. Fora covarde e conivente. Depois, por fracassar em protegê-las. Mortificara-se com a perda das cincos vidas em alto-mar, uma laje escura de dor e culpa o sufocava desde a morte do menino. Conduzira a necropsia do corpo e todos os trabalhos post mortem com o rigor que a ciência sempre lhe exigira, mas sentia a alma despedaçada e acreditava mesmo que ela fora para sempre perdida.

No entanto, no momento em que examina as imagens desenhadas por Lutz ainda não há a morte com o seu peso, e as crianças haviam acabado de comer o mingau espesso que a *Fräulein* lhes preparara. De perfil, a menina aparenta ser bem mais nova, oito, nove anos? As bochechas gorduchas no desenho, o vestido largo de lã lhe dão uma aura ainda mais inocente. Sente-se feliz de contemplá-las. As crianças são suas.

VII

Andar pela cidade como um fantasma. No número 17 da rua Wirt há uma caixa de correio que só recebe poesias. É apropriadamente chamada de Caixa Postal de Poesia. É de um vermelho muito vivo e, em letras ornamentais brancas, cuidadosamente desenhadas com um fino contorno preto, sobressaem as palavras *Poesie Briefkasten*. Ela fica quase na esquina da rua Spix. Pedalando sem nenhuma pressa, e tomando a direita, sobe-se em direção à rua Martin Luther, chegando em poucos minutos às margens da Isar, rio-mulher que poderia se chamar Isaura, à beira do qual esta cidade nasceu. Isar já esteve em vias de morrer, como a cidade. Muita gente também já desapareceu em sua fúria, como Jörg, quando nem cidade propriamente havia, e como as duzentas almas que, na expectativa da grande inundação de levar arrastada uma taberna, em 1813, acorreram para a ponte Ludwigsbrücke, que não suportou o peso da mórbida curiosidade. Isar das águas rasas. Isar, dura. Nasceu da estoicidade de um bloco de gelo, aprendeu a rugir com as feras da era glacial. Apenas tolera as intervenções que lhe fizeram, o derramamento de esgoto por tanto tempo, a construção do canal, as barragens. A revitalização de suas águas não apagou totalmente suas feridas.

Depois que se atravessa a ponte, em pouco tempo se chega à rua Martius, uma rua de menor extensão, comparada à rua Spix. Em pouco menos de meia hora, e em um trajeto relativamente sossegado, de menos de dez quilômetros, a pequena expedição de um lado a outro do rio contará basicamente que os homens glorificam-se a si mesmos e aos seus, independentemente dos caminhos tortuosos de sua vida. Os homens, sobretudo os brancos, gostam de fixar-se na suposta permanência dos monumentos de pedra ou minério. Há um busto de Martius no Jardim Botânico da cidade, e uma placa na rua Barer indica que ali viveu Johann Spix. Em 2009, a artista Mirtha Monge pintou duas figuras de crianças indígenas em uma placa de madeira e a afixou em um mastro de maio no Karl-Heinrich-Ulrichs--Platz, um parque da cidade. Nela escreveu: avenida Juri e Miranha. Em 2015, a obra foi retirada.

Em 13 de julho de 1943, Alexander Schmorell e seu companheiro de prisão Kurt Huber foram decapitados por guilhotina nas dependências da Prisão Stadelheim. De 1933 a 1945, 1035 cabeças foram separadas de seus corpos dentro da Stadelheim. Schmorell, um dos fundadores da Rosa Branca, a resistência alemã aos horrores do nazismo, havia sido delatado por uma ex-namorada que o vira pichando no muro com letras negras a frase *Abaixo Hitler!*

Quando, em 25 de abril de 1944, os bombardeios aliados transformaram a cidade em um rio de fogo, fumaça, destroços e corpos, as 1035 cabeças, que acima da destruição observavam o movimento da cidade sob ataque, se movimentaram em direção aos escombros da universidade. O pote de vidro onde a cabeça do menino Juri estivera imersa por 123 anos se espatifara. A cabeça dele, uma pedra de pele endurecida e calcinada pela química e pelo fogo, foi afundada no chão como uma semente estéril, sem chance de alimentar qualquer vida mínima que fosse, pedra se tornando, até que instrumentos de outros cientistas um dia a desenterrem e a levem para outro laboratório, a meçam, cataloguem e a chamem de fóssil. Apenas quando datada, e em comparação com os dados antropométricos anotados por Spix e Martius, se lançará a hipótese de que seja parte dos restos mortais de um menino indígena subtraído ao Brasil pouco depois de os portos serem abertos pelos colonizadores portugueses às nações amigas, no século XIX. Então um dos cientistas do futuro dirá, espantado:

Há uma criança aqui.

VIII

A mulher se olha no espelho, procura no rosto que vê refletido um rosto que não é seu, ou que não é totalmente seu, uma conjunção de outras faces que se sobrepõem à sua. Por onde andará o seu rosto, aquele que um dia ela achou que tinha e que era o seu rosto essencial? Por que não o consegue recompor sem que seja remendado com partes de pessoas que não conheceu? O rosto da mãe que morrera no parto, o rosto da bisavó selvagem, o rosto da menina indígena que agora a acompanha. Encontrou outras gravuras dela e de seu companheiro em uma das muitas buscas que empreendeu no Google. Em uma, suas feições estão diferentes, a face mais larga, grotesca, quase simiesca, diria, ao passo que todas as imagens do menino parecem idealizadas de modo a adequá-lo ao papel do bom selvagem. A nobreza dele em oposição à brutalidade dela. Não fosse a larga faixa de tatuagem, poderia dizê-lo até europeu. Se sua tia pudesse em algum momento representar em um desenho a menina que ela fora, seria algo muito diferente daquele retrato chabouqueiro da menina do povo miranha? Em outra imagem de perfil, no entanto, o rosto da menina está tão infantil que diria não ter mais que cinco anos de idade quando fora desenhada. Ela olha a menina e é seu próprio rosto que vê.

Josefa sente um aperto no peito. No curto tempo em que aquelas crianças viveram na Europa, suas imagens foram multiplicadas em inúmeras cópias para júbilo dos colecionadores. Julga que as figuras de dois adolescentes entre penachos coloridos que ladeiam a reprodução de um antigo atlas possam ser eles, como os jovens Adão e Eva em um paraíso prestes a ser devassado. Depois encontra, em uma página de um antiquário de Bamberg, o retrato das crianças anunciado como item raro por menos de cem euros.

Antiquário Murr Bamberg: Paisagens urbanas antigas e mapas — Gráficos antigos de muitas áreas — Retratos, aquarelas, panoramas, litogravuras — Garantimos a idade e a autenticidade — Consultas sobre ofertas apenas por e-mail.

Em uma noite dessas, sonha consigo mesma cindida em duas, aquela que ora se mira, adulta, parecendo prestes a descobrir algo; e outra, muito criança, chorando sentada no chão de uma sala. No sonho, toma a si mesma nos braços, e o contato das suas duas peles faz com que acorde em uma terceira pele, a da vigília, arrepiada de frio. Pela primeira vez em muito tempo, deseja, então, regressar a Belém, rever a avó, conversar com ela sobre aquela difícil infância que vivera e saber por que o apagamento da herança indígena da família da mãe tinha sido necessário e tão eficaz. O porquê da família paterna, embora de pele branca, ter optado por renegar a própria condição de mestiça. Coisas que talvez a avó nem mesmo pudesse dar conta de responder. Reencontrar rastro e rosto era o que faria se fosse possível, mas a morte da mulher que a criara, ciosa e feroz em sua obrigação de afeto, rompera o último laço que a mantivera presa àquela cidade, àquela casa. Jamais falaria daquilo com a tia e tampouco com o pai. Não dar notícias de sua vida a ambos era a estratégia de sobrevivência que estabelecera para si.

Naquela madrugada, entre planos de férias, uma ideia inédita de quem sabe estudar a história daquelas crianças em um futuro acadêmico e pensando em arrematar a gravura que vira no site do antiquário, Josefa acaba impulsivamente por comprar uma passagem para Munique. Não sabe exatamente que vestígios segue, ou o que pretende de fato em uma viagem ao revés do turismo. Segue evidências mínimas, pistas interiores difusas, escuta um chamado que não consegue distinguir de onde vem, mas, ainda assim, o escuta e segue.

Quando, um mês depois, desembarca em Munique e, já no hotel, respira fundo pensando em qual será a primeira coisa a fazer naquela estadia, uma mensagem de Tomás brilha na tela do celular. Pensa em ignorar, mas a sequência de avisos a incomoda. Quando finalmente acessa a mensagem, descobre que na noite de sua viagem executaram uma vereadora negra, ativista, no Rio de Janeiro e que o país convulsiona. Josefa desaba na cama do hotel se sentindo à deriva no mundo. Chora e parece que vai dormir. Quando começa a adormecer, desperta na turbulência de um soluço fundo, mas não tem qualquer ímpeto de se levantar. E o tempo se arrasta nessa dormência, entre a tristeza e os efeitos do jet lag.

IX

Ao receber a notícia da morte de Iñe-e, a rainha deu ordens imediatas para que Johann Baptist Stiglmaier, fundidor mestre da Casa da Moeda Real, trabalhasse em uma lápide para os pequenos brasis falecidos sob seu reinado. O homem, então, dedicou-se a confeccionar uma placa de bronze em que o menino Juri, em primeiro plano, tem o peito projetado para o alto e a cabeça pendida para trás, como se os pulmões estivessem inspirando pela última vez o ar que lhe faltara, enquanto Iñe-e envolve seu ventre com as mãos, tal como as grávidas fazem quando descobrem estar gestando e querem, com esse gesto, proteger a cria. Sobre as duas crianças, um velho Zéfiro de olhos sagazes sopra seu hálito fatal.

No enterro, a que Karoline fez questão de comparecer, ignorando os pedidos do marido para que se resguardasse daquela nova tristeza, o dia estava luminoso e as árvores do velho cemitério do sul se agitavam diante de um vento persistente. Os arcos e as paredes de tijolos rosados, o musgo cobrindo as sepulturas de uma vida ininterrupta e as ruas largas receberam o pequeno cortejo com a mesma disposição com que receberam todos os mortos anteriores e com que receberiam os mortos do dia seguinte. O velho cemitério da peste nunca tivera, porém, entre seus mortos, gente de tão longínqua procedência. Não que isso fizesse alguma diferença. O trabalho da natureza, constante e humilde, devolvendo ao pó o que de pó era feito, não abre espaço para qualquer questionamento.

O enterro, na mesma sepultura em que meses antes fora inumado o menino Juri, foi acompanhado pelos cientistas, pela viúva Martina, pelo padre, pela rainha e por duas damas de companhia. Karoline sentia-se desmoronar por três crianças sob seus cuidados falecerem em tão curto espaço de tempo. A dor pela perda da filha caçula era uma flecha atravessando sua garganta. Ao mesmo tempo, via-se compelida a entregar aos desígnios de Deus o peso daquilo que sentia. Ao fim da recomendação religiosa, ao erguer o olhar, percebeu nos olhos vermelhos dos cientistas uma sombra de remorso que, como uma linha grossa, os unia um ao outro, como se seus olhos estivessem costurados entre si. Sem fazer questão de parecer simpática aos dois homens, aproximou-se deles e perguntou, rispidamente:

Afinal, foi para isso que vocês os trouxeram? A rainha partiu sem dar tempo para que os homens respondessem. Depois, arrependeu-se da severidade com que os tratara. Quando, mais tarde, escreveu a ordem incumbindo Stiglmaier da feitura da placa memorial, anotou o que deveria ser inscrito:

Distantes de sua casa, eles encontraram amor e cuidado em um continente longínquo, mas o austero inverno do norte lhes foi implacável.

A rainha sabia, embora não ousasse dizer e tampouco escrever na inscrição mortuária ou em seu diário, que ali todos eram cúmplices daquelas mortes. Todos sopraram seus hálitos mortais sobre aquelas crianças. Aliviava-lhe a consciência dar-lhes alguma dignidade póstuma.

No Museu de Munique, Josefa se deixa ficar longa e silenciosamente diante da placa mortuária das crianças roubadas de seu país. Não reconhece aqueles corpos gregos com que foram representados, mas respeita o fato de que aquelas também são as crianças, vistas de outro modo, sob uma perspectiva romântica, atenuadora do horror que devem ter vivido.

Não é possível visitar seus corpos no cemitério, explica o monitor do museu. Quando, em 1895, a filha da rainha Karoline deixou de ser a mantenedora dos túmulos dos indígenas, seus restos foram exumados e o sepulcro passou a pertencer à família do ministro de Cultura da Baviera, Ludwig von Müller.

No registro paroquial, o padre anota, logo depois do sepultamento de Iñe-e:

"Uma americana/ Izabella do Brasil, 14 anos, morreu no dia 20, às 3h30 da madrugada em consequência de uma infecção crônica generalizada do intestino do abdômen inferior."

X

Sentada em um banco do jardim da corte no palácio conhecido como Residenz, Josefa aprecia a gravura que acabou por comprar da menina miranha e do menino juri. Seus rostos, que ela mira através do plástico transparente da embalagem, parecem reconhecê-la. Mas ela sabe que é exatamente o contrário. Que é ela que os adota, que é ela que neles se reconhece. E sente como se, de fato, estivesse em uma reunião familiar. Uma emoção nova toma seu espírito, e não haveria palavras que pudessem explicar o que sente naquele momento. Mesmo para Tomás, que de certo modo foi quem mais próximo chegou da gênese daquilo, uma expedição despropositada à Alemanha em busca de si mesma e dos fragmentos da história de crianças mortas e perdidas das quais nunca saberia sequer os nomes verdadeiros soaria inexplicável. Parecia fazer mais sentido que fosse ela agora a cientista, alguém que se lança na montagem de um quebra-cabeças intrincado. No entanto, pela primeira vez na vida parece se sentir à vontade consigo mesma. A mulher faz planos de voltar à cidade natal, levando a imagem das duas crianças, e de lá se internar na mata até chegar ao leito do Japurá, no Amazonas, e às suas margens, dentro de uma urna, dar um descanso simbólico que seja àqueles pequenos seres extraviados e também a ela mesma. Uma imagem de sonho, pensa.

As notícias que chegam do Brasil durante seu pequeno exílio na Alemanha a sobressaltam, ao mesmo tempo que se sente cheia de energia e coragem para iniciar um novo capítulo de sua vida. Sabe que é apenas uma mulher que pretende se manter de pé por si mesma, e naquele momento acha que isso é muito. Uma mulher que se descobre ou que se inventa em conexão com as múltiplas identidades que agregou ao longo da vida. Um caminho imperfeito que, no entanto, é só seu.

Em meio a seus pensamentos, escuta um ronco alto que parece ser o de um trovão. Teme que uma tempestade a pegue desprevenida, mas olha para o céu bávaro, e ele continua de um azul impassível, sem nenhuma nuvem. Guarda as gravuras na pasta, abre o romance que traz no colo e que comprou para ler durante a viagem de volta ao Brasil. Chama-se *Der Garten von Atalanta*, e a primeira frase diz:

Atalanta acordou, agora via o mundo com os olhos de um grande felino.

3.

Sabemos que os mortos vão se juntar aos fantasmas dos nossos antepassados nas costas do céu, onde a caça é abundante e as festas não acabam.

| Davi Kopenawa, *A queda do céu* |

I

    Onça, onça. Onça gosta de rio e de sombra de árvore. No começo não havia nem terra nem água. Havia era uma árvore no meio do nada, com as folhas grandes enramando pra cima e as raízes torcidas correndo pra baixo. Mas não se sabia ao certo o que era em cima e o que era embaixo, de modo que o nada era todinho tomado por aquela árvore. Árvore de toda a vida, assim se chamava. Era assim que era, e dou fé. Do alto daquela árvore nasceu o primeiro céu e o sol e a lua e todas as estrelas, porque o alto é que dá fruta. Do alto da árvore nasceu também a Onça Grande, Tipai uu, o corpo dela feito da brasa das estrelas. Un-un, era assim que era. Das raízes da árvore nasceram o segundo céu, a terra que a gente pisa por fundamento, o mói de plantas e as águas que correm por riba e por baixo do mundo. Foi delas, das raízes, que nasceu também a Grande Jiboia Igaibati, e essa foi feita de uma lama grossa que nem a baba que resta no fundo da cacimba. Igaibati era feia que metia medo. Seu corpo era todo escuridão, e em seus olhos não havia nenhuma brecha de luz. No tronco da árvore tinha um buraco, bem ali na metadinha dela. Dentro do buraco havia um ovo muito pequeno, que nem ovo de briba, e foi desse ovo que nasceram os tatiretés, que são os espíritos da morte, que vivem de espreita e maldade, adoecendo tudo que chega muito perto deles. Tudo vivia nesse costume, até que veio o dia em que a Onça Grande deu um miado seu; sua boca vermelha do fogo que lhe queimava de dentro pra fora, abrindo assim, enorme, em dentes e língua e cuspo. E foi quando se deu que a Onça Grande descobriu um demasiado amor por Igaibati, sem se importar com a feiura que era dela, sem se importar que nem tivesse olhos que Onça Grande pudesse admirar. Quando o amor de Tipai uu entrou dentro de Igaibati, a Grande Jiboia ficou toda reluzência, e os olhos seus, que eram muitos, começaram a se abrir ao longo do corpo escuro, olhos de brasa abrindo e piscando do jeito que as estrelas penduradas no céu sabem luzir. Ãn-ãn. Foi coisa bonita de ver Igaibati criando nova pele de luz, o desenho de Tipai uu se fundindo aos caminhos do corpo dela, o desenho do corpo de Igaibati se fixando na pele da onça como o sumo do jenipapo sinala desenho no corpo de gente. Por um momento muito breve, Igaibati virou Tipai uu, e Tipai uu virou Igaibati, e dessa situação nasceram todas as qualidades de bicho que habitam a Terra, desde passarinho miúdo até o cachorro-do--mato, desde a arara-canindé até o gato-maracajá, do mutum ao mucuim, do macaco-de-cheiro à jacaretinga, do tucano à anta. Também os homens, de toda qualidade e índole, foi aí que nasceram. Inclusive caçador, que brotou do temperamento brabo da onça. Inclusive gente branca, que nasceu da qualidade sufocante da serpente. E também foi aí que se quebrou o ovo dos tatireté. Foi, sim. Quando o mundo se deu por pronto, Tipai uu e Igaibati se enroscaram uma na outra e ficaram no alto do céu, na Maloca das Onças, espiando o que acontecia com a criação delas. De quando em vez dão de descer em capoeira, capão ou em igarapé pra assuntar novidades de fruta, de bicho correndo na campina, do trabalho do milho em crescer espigado, das visões da coca, dos cipós, da jurema juremá, do ouricuri. De quando em quando botam reparo em vida comezinha de gente. Tanto em gente que envenena terra e que corrompe rio e carne do chão, como em gente que levanta arco e pedra pra não deixar ganância passar.

 Aniba, aniba siriganguê! Vocação de tudo é virar onça, e tudo é onça porque Tipai uu amou Igaibati primeiro.

II

Começo a devolver a sua linguagem e a recuperar a minha. Arre! Precisei dos seus laços de fita, dos seus perfumes, da vidraria que se tem por preciosa pra poder chegar na sua boca. Precisei de mascar o seu cuspo junto do meu, com tabaco e coca, pra mó de contar essa história. O cuspo grosso da minha linguagem misturado no cuspo seu, fino, mas por demais adocicado. Cuspo da minha língua amarga de verde. Gosto assim. Prefiro. Mas tive de me obrigar em propósito de amansamento. Agora chega o momento que não tem mais precisão disso, não. Mas antes que me despeça e retome por completo a minha fala própria e natural, conto que Iñe-e era menina de Tipai uu. Porque Tipai uu chamou um dia ela lá no rio, e ela foi. Porque ela era destinada de Tipai uu desde antes de nascer. Ela era assim, desse tamanhinho, não chegava no joelho da mãe dela de tão pequena, mas escutou a Onça Grande chamando e num descuido dos seus se embrenhou num caminho dificultoso que dava num igarapé escondido.

Quando Tipai uu viu a menina, seu coração, uruiaora, se alegrou. Então começou a contar pra ela coisa que onça conta somente pras crias. Segredo de andar no mato envultado, olho de ver visagem, modos de escapar de flecha, zagaia e bala de ferro, olhos de ver o passado do passado e de contar coisa do futuro, a fala escondida dos rios, a ciência que as plantas têm do mundo, a alma que mora nos seres que parecem inanimados. Malícia de enganar onceiro. Ensinou pra menina sobre tempo de guerra e tempo de paz. E Tipai uu disse assim,

Iñe-e, tu é minha e, por ser minha, é bom que saiba que tu é onça quando quiser de ser. Mãos tuas viram patas macias, orelhas tuas se acendem setas, e aqui te surgem bigodes que te ensinam a ser quem tu é e a andar pelos caminhos que tu deve de andar. Iñe-e, te digo que tu é onça-onça porque conheço tu de longe, pelo cheiro, do primeiro berro que mecê deu pro mundo e chegou até meu coração pra eu escutar. Mas, pra que tu seja onça por completa transformação, tu deve de dizer assim, acreditado, que tu é onça e que, onça sendo, de tua pele há de brotar pele de onça e de tua boca hão de surgir dentes de onça que hão de rasgar a carne e o nervo mais duros, com língua de se lavar em sangue nascendo da cova funda de tua garganta. Tu olha pro chão e a terra fala com tu assim do jeito como fala com eu. Pedra fala enquanto tu se move, sombra de buriti fala enquanto tu te esconde, raiz saltada pra fora do chão fala quando tu salta no bote. Mas tu deve também de saber as obrigações. De ouvir a palavra da coca, de aprender o preparo e o segredo do veneno, de entender o que a mata tem pra dizer porque ela fala dentro de tu, enraizada.

Iñe-e ouvia tudo, muito quietinha, percebendo que os olhos da onça que verdejavam também se abriam em cores que ela nunca tinha visto nem na plumagem mais colorida dos pássaros que assanham as árvores no meio da tarde. E ficou naquela distração toda, também muito admirada de como o brilho da água rajava a pele da Onça Grande e de como a pele dela parecia um lugar, uma terra que ela já havia conhecido. E Tipai uu disse mais:

Ó, prest'atenção, é assim que se mia, e é assim que se esturra, é assim que se rosna, trovejante. E shhhhhhhh, é assim que se faz silêncio, nada de nada zunindo, folha nenhuma estalando por debaixo das tuas patas.

Tipai uu pegou Iñe-e pelo cangote, que é como onça faz com cria que tá aprendendo a ser onça no mato, que é como cria pequena deve de ser e agir quando chegar o tempo de ficar longe da mãe, e levou ela pr'ali, pra beira d'água, ãn--ãn, muxiri zanzê, mostrando pra menina no espelho d'água aquele Martius, ele mesmo, beirando caminho em vala rasteirinha de uma várzea sem se dar conta das profundezas chegando, da garabulha intrincando caminho.

Espia mesmo, ali onde esse branco tá se metendo. Ali é a ilha das Onças, terra minha, onde forasteiro não se cria, onde há que pisar no chão bem devagar, em cautela, disse Tipai uu pra menina, e mostrou pra ela o homem sendo atraído para dentro d'água por bandos de pássaros, as moitas se fechando, o brejo eriçado rodeando ele, tufos de palmeira e espinhos tucum agarrando em suas calças, o corpo sinuoso e forte de Igaibati se tornando água e afundando ele no mondongo, levando ele pra mó de morrer, Tipai uu jogando breu nos olhos dos bravos que o acompanhavam pra que eles não tivessem tempo nenhum de acudir, enquanto Igaibati tornada rio ia constringir o seu pescoço a mó de afogar ele.

Já faz tempo que quero matar esse homem. Mas esse um não é morredor, não, Iñe-e. Era pra ele se ir no bruto suave d'água, mas deu de artimanha de escapar. Vê ele se trepando em pau de jubati? Vê? Espia como ele evita que os espinhos furem sua carne! Pois é desse jeito como ele escapa, que não é um tolo, um molengão. Daí que tu esteja avisada, tem cuidado com ele, porque ele vem vindo. Vê a pele branca dele? Os olhos claros? É inimigo teu, mesmo que se ria, que passe a mão nos teus cabelos em tenção de amansamento, que tire a música mais linda da caixa de pau e cordas da qual não se separa. Apois, quando ele chegar, tu que fique bem aprumada, tu que deixe teu espinhaço bem dobradiço pr'o bater da cauda. Tu que esteja muito da atenta, com as ouças de pé e as ventas acesas.

A Onça Grande lambeu Iñe-e nos olhos, no peito, nas costas, lambeu Iñe-e na boca, até nas orelhas ela lambeu. Sabedoria de Tipai uu se misturando no suor do corpo dela como havia de ser, feito mezinha, raizada.

Vai chegar um tempo de que tu seja caça, Iñe-e. E onça não nasce pra ser caça, tu é pequena, mas tu sabe disso porque estou cá contando isso pra tu. Onça é dona da mata, não é bicho que se assa no moquém. Quando tu precisar, me chama e eu chegarei, quente, vinda pelo cheiro do teu suor, e te pego e te levo pra longe do que te amofina. Tu há de me chamar no escuro dentro de tu, me chamando assim *Tai-tipai uu*, repetindo assim, *Tai-tipai uu, eu-Onça Grande*. Tu me convoca e eu venho em todas as pelagens, venho na pelagem de estrela, Suaçurana, eu venho. Venho na pelagem de onça-pintada, na pelagem de onça-branca, na pelagem de onça-parda, na pelagem de onça-preta. Venho, Jaguaretê, eu venho. Acanguassú, eu venho. Acanjaruna, eu venho. Ianovare, eu venho. Jaguapinima, eu venho. Ñanguarichã, eu venho. Nigucié-do-senjo, eu venho. Pacová-Sororoca, eu venho. Mingoê-do-sengue, eu venho. Jagoareté-apiaba, eu venho. Onça Tigre, eu venho. Canguçuzinho-do-campo, eu venho. Maracajá, eu venho. Jagoaracucu, eu venho. Jaguatyrica, eu venho. Jaguapitangussu, eu venho. Iaguar, iauaretê, eu venho. Tipai uu, eu venho. Venho e te dou o que é teu por direito, tua roupa de onça.

III

Tipai uu sabia que olhos de Iñe-e eram olhos de criança. Que vista dela não tinha malícia de gente nem argúcia de memória. Mas, avie!, que sabia que tinha de haver pressa, que caçador já vinha com sua empresa, e era preciso conjuramento das forças pra que a menina tivesse alguma chance de escapar. Onça é esperançosa, confia em sabedoria dela mesma, confia no que ela determina, e assim deu crédito de que o velho avô conseguiria tempo de levar a menina a ter olhos abertos de ver o invisível, de aprender o que tinha por obrigação, os ritos, os dedos ágeis para os cipós que eram os mesmos para tecer redes desse mundo e do outro.

A parentada vinha em grande alarido seu, procurando a criança pelos caminhos do mato. Aquela gritalhada de desespero dando por certo a menina ter sido levada pela correnteza ou atacada de bicho grande, um tacuité ou uma onça mesmo talvez. Quando deram com a menina acoloiada com a Onça Grande na ribeira, foi uma grande admiração. Sem demora cataram ela do colo de Tipai uu e levaram de volta pra maloca, uns com apreço e outros com desconfiança. E então a menina caiu em três dias de febre. Sangarutê!

É saudade da onça, diziam. Foi onçada, repetiam. E eram certas essas palavras. Eia, que a menina ficou com sentimento de onça, e era verdade. Quando ela melhorou, o avô deu continuança no ensinamento de ver e ouvir o mundo ao redor, como era do preceito dele. Daí o avô perguntava: Ô, menina, onça falou com tu? E ela dizia que sim. Ô, menina, tu sabe da Maloca das Onças? E ela balançava a cabeça, com seus olhos miudinhos de jaguatirica afirmando. Ô, menina, se tu troca tua pele por outra é roupa de onça que tu vai vestir? E a menina balançava a cabeça concordando. Ô, menina, se tu passa no mato tu deixa cheiro de onça nas folhas? E ela exalava cheiro de soçorana em aceitação. Ô menina, tu diga pra mim, tu é onça? E ela se ria, a cara pintalgada de onça-onça, e seu riso como palavra de confirmação. O velho não contava essas coisas a ninguém, muito menos ao filho dele, o tuxaua, que adoecera de doença de branco que tatireté tinha jogado nele, e a cada dia o velho observava que seu filho era como um fantasma vivo e sabia que não era só seu filho, que muitos outros viviam aquela meia vida dos brancos. Um perigo grande.

Já a menina mal adormecia, onças, jiboias, antas, quatis, cotias visitavam ela. Numa noite, ela se ria às gargalhadas, porque estava brincando com oncinha pequena na capoeira, e, na noite seguinte, gritava com os macacos a perseguindo, jogando pedras e sementes na sua cabeça, mostrando muitos e ferozes dentes. O sono agitado pelos espíritos dizia a todo mundo que metade dela era pertencente a outro reino.

Quando o homem branco chegou, tempos depois, em sua igara protegida de folha de tamarica, o corpo todo encalombado de mordida de carapanã e pium, o sangue carregado de sezão, o velho se conformou que a sorte de Iñe-e era agora por conta dela e do inimigo. Tipai uu tava no cochilo quando deu fé que os trocanos anunciavam o homem que ela queria matar. Daí ela abriu os olhos muito devagarinho, como onça faz quando tá na ronda, e ficou ali, de sentinela, na moita, esperando menina chamar. Esperando também oportunidade de matar o homem. Mas menina chamou, mas não chamou certo, que existe jeito certo pra tudo neste mundo. E a chance que Tipai uu tinha de acabar com o inimigo ali em território seu não veio. Então primeiro Onça Grande quedou silenciosa, panema, coitada, depois foi se agitando, o corpanzil bem se via que tava irritadiço, num pé e noutro, o rabo batendo estalado, toda braba ela. Mas de nada teve serventia aquela brabeza, não. Branco levou menina pelo rio e foi indo pra muito longe, e logo Tipai uu ficou urrando, ranhura de unha sua em pau de sumaúma, de reiva, tempestade caindo, rio agitado. De reiva, sim. Mas Onça Grande sabia rastro e cheiro e não iria perder Iñe-e. Era contratempo tão somente.

 É certo que Tipai uu tinha escutado Iñe-e chamar no dia em que o pai dela mais o homem branco botaram ela na fila dos prisioneiros pra ir s'embora no mundão. E também escutou seu ganido na noite escura e chuvosa na jusante do Solimões. Escutou também urro dela misturado ao rugido estrondoso do mar. E o miado que veio fraco vindo das terras congeladas. Tipai uu não saiu de perto dela não, oxe! Mas como a menina não tinha ciência do miado certo que deveria de dar pra Tipai uu tomá-la de dentro de sua carne mesma, isso já se disse, Onça Grande ficava ali, jaguaretando em volta dela, quase chegando, de prontidão, afiando unha, agulhando dente, naquela impaciência sua, inconformada de não poder agir como queria. Uma tristeza, ara!

 Então se deu que menina desandou a morrer no estrangeiro. Não aquele se finar demoroso de desde que branco roubou ela de casa, mas um se finar em correria, de doença que branco botou na barriga dela, que foi inchando cheia de moléstia para a qual remédio dele não tinha serventia. E o coração pesado de desgostos. E ela já estava em vias de morrer quando de dentro do olho de Tipai uu começou a se acender o olho da menina. E num instante, un-un, olho de uma era tal qual o olho da outra, verdejante-colorido. E, sem que ninguém procedesse pra ela ensinamento final de chamar onça pra si, o aprendizado deu de acontecer porque sempre estivera dentro dela mesma, pois sim. A hora era chegada.

Uaara-Iñe-e! falou a Onça Grande com sua voz muito antiga. E num instante muito rápido onça era menina, e menina era onça.

IV

Iñe-e!
Coração da menina deu um salto, trabalhando estremecido. Era a voz da mãe dela chamando de um jeito que ela não conhecia. Ou não se lembrava direito. Como era isso de ter se esquecido como era chamada no tempo de antes? Fazia tanto tempo assim? Uma vida? Outra?
Iñe-e!
Ela ouviu de novo aquela voz manifesta e foi abrindo os olhos devagarzinho, reconhecendo que era a luz da mata tomando suas vistas, o jeito que o sol batia nas folhas fazendo buraco de luz, que a claridade caía na água do Uapurá em bubuia pequena. Nome dela não era mais aquele, ela sabia. Mas reconhecia que já tinha sido dela. Sabia também que já não era mais a mesma em carne. Meekiri-gai estava na outra margem, um pouco mais velha, um tanto mais miúda nos ossos e com aquela gana de mãe que ela sempre teve e carregava na voz, nos cabelos, nas mãos. Meekiri-gai e Uaara-Iñe-e ficaram ali se olhando num tempo grande de silêncio. Iñe-e abriu a boca pra chamar a mãe, e o rugido saiu de dentro dela, áspero, rascando a garganta, nem muito forte nem muito fraco, só daquele jeito riscando as pedras, rajando a areia, pinima-pixuna, assim que era, epa!

A menina abaixou a cabeça a mó de se ver no espelho d'água e o que viu foi sua cara nova de onça. Era uma cara bonita, redonda, as pintas malhando da testa pras orelhas, acuty-yauá-retê, corpo todo salpicadinho, rebrilhando de sol e pingo d'água. Levou a língua pra pata e sentiu que o pelo era macio, que nem penugem de tucano novo, aquele algodãozinho lá. A pata grossa, carnuda. Mexia pata e era unha entrando, unha saindo. Uma belezura, pois sim! Uaara-Iñe-e tornada era o que via e confirmava.

Uaara-Iñe-e entrou a modo de suavidade no rio. Queria de ter do regaço de Meekiri-gai, coisa que fazia tanto tempo não tinha, mas a mãe devia de tá com medo dela, era o que achava, por isso adentrou de cautela, rompendo vigorosa e calma o tecido d'água na travessia da correnteza. Aí viu que a mãe não deu de fugir, ficou lá, esperando ela, sem palavra que saísse de sua boca. Mas e se, na aproximação, ela tremesse de medo e corresse? Como é que faria? Iria atrás dela, miando seu nome? Ou deixaria que se fosse sem menção nenhuma pra que desistisse de ir embora, pra que soubesse que de algum jeito era a mesma menina de antes, onça, sim, mas a mesma que sempre fora, amiga dela? Não sabia. Só foi indo na direção de Meekiri-gai e, quando deu por fé, a mulher tava já com meio corpo n'água, encontrando com ela.

Iñe-e, ela disse, então, muito baixinho. E se riu. E Uaara-Iñe-e se riu também, uma parelha de asas de guainumbi se agitando em contínuo de sua garganta, uma turbulência muito da boa, que amor deveria de ser assim. Ficaram nisso um tempo quando se fez ouvir o grunhau de Tipai uu vindo de lá da beirada d'água. E Uaara-Iñe-e sabia que precisava ir. E foi assim que acabou.

Meekiri-gai voltou calada pra maloca. Havia um contentamento no seu peito por ter visto sua menina outra vez. E havia de todo modo um pesar, porque entendia que era por derradeiro. E calada se quedou por muitos dias. No fim do silêncio que era seu, ela procurou o velho avô e falou pra ele,

Iñe-e não pisa mais no mesmo chão que nós. A Dona da Caça levou ela.

No coração de Meekiri-gai, alegria e tristeza agora eram um tipo de suavidade.

V

Tipai uu e Uaara-Iñe-e andaram por aqueles dias pela mata, e os que puderam avistar as duas diziam que, quando uma andava pra direita, a outra volteava pra esquerda e que, se uma ia de revés, a outra vinha de trevés, un-un, mas que nunca se separavam ou se perdiam, liame que amarrava as duas em nó muito do bem atado. Que uma era onça velha, daquelas que sabem imitar fala de gente, canto de pássaro e assovio de macaco, que engana a presa fingindo ser quem não é; e que a outra era onça nova, afoita, muito da carniceira e capaz de, num pulo só, alto e certeiro, arrancar a caça que quisesse do chão, por forte anta ou capivara que fosse, ou de onde quer que presa estivesse trepada, na folhagem de qualquer das árvores mais gigantes da floresta, ela avoava pra cima e, pá, já era.

Disseram também que até ruma de corisco riscando ramada e trovão rebentando em encosta eram as duas jaguaras, muito onças e entranhadas de si em ferocidade, rugindo e tomando nota das coisas que precisavam de ser muito bem avaliadas. Que as unhonas entalhavam marcas nas igaras e nas estacas das casas dos brancos, que se podia sentir o bafo de suas ventas cafungando nos lugares menos esperados, no fundo de um pote de água, na coivara nova. Contaram mesmo que as duas onças, que por mãe e filha tomavam, mataram e depois comeram uns brancos em Vila de Ega e que destrincharam de tal jeito os cabras, que só se soube que eram gente por conta do cinto e das botinas que restaram. E que, bem longe, na beirinha do Rupununi, ali onde resta ainda o toco da árvore de toda a vida, um xamã dos Ingaricó viu o telhado do céu se abrir de par em par num outro céu, todo-todo brocadinho de estrelas tal e qual o céu anterior. E que lá, no alto do firmamento, muito celestiais, seis cabeças de jaguar banhadas em sangue faziam trajetória de modo a cobrir as estrelas dos quatro macacos duruculi.

Muita coisa foi dita e foi vista naqueles dias, que as onças estavam em tudo que é lugar, que ninguém botava reparo, e elas, zás, apareciam do nada, a banda da cara de uma no sol, a banda da cara de outra na sombra. Foram vistas também as duas em brincadeiras de remanso, muito pacíficas e entretidas uma com a outra, pras bandas da queda-d'água do Araracoara. E em cada lugar se viam as duas em formas diferentes. Num canto, apareciam como uma preta e uma malhada; em outro canto, elas eram as duas brancas, sem pinta nenhuma; noutro lugar ainda, eram rotundas, imensas, tão bem fornidas que chegavam a ser maiores que um guerreiro miranha. Um padre dos brancos chegou a contar que dissera suas rezas para as duas, num quebradão perto de Barcelos, e que elas foram muito cristãs, mas quem teve conhecimento dessa lorota garantiu que se tratava somente de uma tamanha mentirada.

No entretanto, ninguém que se atreveu a se embrenhar em mata a mó de caçar Tipai uu e Uaara-Iñe-e, porque de um jeito ou de outro sabiam que as duas eram encantadas. Quando as notícias das onças começaram a chegar, primeiro pela boca de Meekiri-gai e depois pelas notícias dos trocanos, ou dos parentes das terras de cima, o velho avô começou a fazer pequenas bolas de barro e foi desenhando nelas o rajado das jaguaras. Quando teve ciência da visão do velho dos Ingaricó, achou por bem de dar o seu trabalho por encerrado. Como já possuía um bom número daquelas bolas, pegou uma igara pequenininha que ele mesmo tinha feito, meteu as bolas dentro dela, presas num trançado de palha bem apertado, e soltou na corredeira do rio. Era um mapa pra mó de a menina encontrar seu caminho quando chegasse a hora de ela se ir. Mas ele sabia que isso ainda tinha uma demora, e que a visão que o xamã tivera das cabeças de onça cobrindo a Constelação dos Quatro Macacos dava conta da chegada de um tempo bem pior.

Menina ainda tem o que ver entre o reino deste mundo e o outro, disse o velho avô a Meekiri-gai. Enquanto não expiar o que tem pra se expiado, enquanto não cuidar com o que é de necessidade, Vespa Onça-de-Asa, comedora de aranha, não pode nascer da placenta do sol pra levar ela, menina-onça, na igara do céu.

VI

Tipai uu falou rugido pra Uaara-Iñe-e,
Feche os olhos, menina.
Uaara-Iñe-e muito obediente fechou. Depois Tipai uu falou com sua voz mais grave assim
Olhe pra fora do escuro. Uaara-Iñe-e consegue ver?
Uma fresta de luz se abriu de dentro da menina-onça, bem ali na borda do avesso dos olhos. Primeiro, como uma brecha pequenina, pulsadora, uê, sim. Logo depois, feito um rasgo que foi se abrindo pra passagem de uma aranha daquelas muito grandes, bastante escura e peluda no torso, suas pernas finas e longas gotejando uma tinta preta que guardava parecença com o huito. Aquela aranha não era de natureza animal, não, mas era forjada do ferro que mata e de vapores desconhecidos. Seu rabo guardava ovos muito transparentes em que se podia ver fábricas trabalhando pra fazer bolas, correias e peias, galochas, ligas e suspensórios, seringas, sacos e cintas. Também se podia ver brancos acumulando ouro ou seu dinheiro de papel. Sobre a testa do bicho, as palavras do branco: Casa Arana. Era um tempo já longe daquele em que Iñe-e vivera, longe da vida da mãe dela, do pai, do velho avô, do irmão, eles todos já mortos. Mas não era tão longe que se pudesse contar em eras. O mais certo é dizer que alguns anos haviam se passado.

Iñe-e viu, então, depois da passagem daquele bicho, muitas árvores do caucho dando seu leite branco e espesso pra mó de encher as cuias. Era tanto leite! E era tão lindo em sua alvura. E o leite ia escorrendo num tantão e nisso ia transbordando e inundando o chão, formando um rio todo de leite, muitos rios daquele leite que era só visgo, o Caquetá todo de leite, assim o Putumayo, o Içá, o Uapurá branco,

branco. Mas logo o chão foi sendo inundado de caucho e, nesse movimento, os homens foram agarrados pelo leite branco e grosso, da sola dos pés ao fio dos cabelos, até que o ar não inflasse mais seus peitos. E em pouco tempo o que era caucho virou sangue. E o povo da mata foi sendo coberto assim de caucho e sangue. Miranhas, sim, morrendo. E os outros, parentes ou inimigos, também. Todos presos na mesma canga. Não havia mais tempo de sonhar, só o real rendendo a todos com o seu visgo, sua teia de caucho.

Uma menina bem pequena deixa cair o chocalho em algum lugar. O barulho das sementes em baque a onça já ouviu. Ela se alembra.

Não retire a vista dessa cena, Uaara-Iñe-e. É de se ver o que a máquina de matar é capaz de fazer.

Uaara-Iñe-e olha pra outra menina muito pequenina. Não é aquela que balançava inda agora o chocalho sob um sol que se agarra na carne feito carrapato. É uma diversa. Miudinha, ela leva nas costas um fardo mais pesado que ela mesma. É magra feito tabica de mato. Pode vergar e quebrar no vento a qualquer gesto. Está estalando, vai se quebrar, está estalando, está se partindo sob aquele peso. É filha de um filho de Tsittsi, ela toma conhecimento. De modo que é como se fosse ela mesma, igual em parecença e sangue. E, mesmo que não fosse, ainda assim parente seria pra ela. Como era a menina que um dia morreu no mar, quando ela fora desterrada e levada naquela louca travessia da tão enorme água. Tudo gente sua.

O que mecê tá vendo?, perguntou a Onça Grande, muito dona.

Menina tombando no chão, joelho machucado, porque o caucho é pesado demais da conta. Batem na mãe da menina pra ela trabalhar melhor. Cinquenta, oitenta, cem vezes eu ouvi. Pai de menina apanhando também. Mãos e pés de parentes atados pra chicotada. Chicote de couro de anta, batendo, rebatendo, batendo, rebatendo. Cinquenta, oitenta, cem vezes eu ouvi. Corpo jogado em sangue e ferida sem medicina, toda sorte de mosqueiro botando ovo na ferida, ferida emperebada, pai de menina bichando até morrer, ó o que vejo. Por que é pra Uaara-Iñe-e ver dessa miséria? Uaara-Iñe-e não pode tirar menina pequena dessa lástima, pode?

O nome de menina é Kaiemi, Tipai uu falou, estremecida com a dor de Uaara-Iñe-e. Nome dela é Kaiemi. Não será nome apagado, esquecido. Ainda que ninguém pague pela dor dela, o nome de menina é Kaiemi, e terão de se haver com esse nome e o desperdício de tanta vida.

Justiça é isso, Tipai uu?

A Onça Grande balançou a cabeça muito devagar, volteou o corpo pra um lado e pro outro. Estendeu os braços pra frente e inclinou a cacunda. Depois aprumou-se de novo,

Justiça de onça se faz é no dente. Isso é só tabaco frio, coca doce, rosnou Onça Grande.

Quantos morreram?

Uaara-Iñe-e sabe o que é trinta mil? Número grande, não dá pra contar com os dedos que existem nas mãos. Número grande feito estrela que acende no céu, areia em leito de rio.

Quantos acertaram em fugir?

Aqueles que puderam.

E ruindade, ela acaba?

Dona se pôs sentada nas patas de trás, bem por cima das folhas úmidas, e nessa ação sua foi assomando em derredor aquele cheiro verde com que as folhas, em revelando sua deterioração, dão de encher o ar, e pediu que a menina olhasse bem pra ela. Não havia rastro de lágrimas descendo pela cara da menina-onça, é certo, porque Uaara Iñe-e tinha dessa vez desaprendido por completo como era chorar.

Tu aprende que ruindade não acaba, não acabou com tudo que fizeram antes de mecê vir pro mundo e muito menos com o que fizeram com tu e teus companheiros, nem acabará depois que passar o que fazem ali com Kaiemi, filha do filho do teu irmão, nem acaba com o que fizeram com o teu povo ou com os boros, os huitotos, os huni kuins, ganância da Aranha a tomar da vida deles. Escuta só, ruindade não acaba, não, ela se estende, encompridando, jauá, jauá. Por isso que eu quis mostrar isso pra tu. Pra que mecê, tu não se esqueça. E vou te mostrar ainda mais coisa. Mas agora descansa, que a viagem é por demais longa. E, quando tudo se der por findado, se tu quiser vou levar mecê pra Maloca das Onças.

Coração da jaguara nova estava cansado, mas precisava de alento, uma triste alegria que fosse. Deu então de sonhar.

Lá na Maloca das Onças Uaara-Iñe-e pode dançar?

Pode dançar, sim. Que as onças de lá, diferente das daqui, vivem em bailados num salão muito grande e redondo. Lá elas não precisam nem se arreliar de caçar, porque caça vem pra elas, sem que elas peçam, muito sojugáveis.

E levanta poeira quando as onças de lá arribam os pés na dança?

O baile das onças levanta poeira de muitos pés. E teus pés haverão de levantar aquele pó de igual maneira.

As onças da Maloca são bonitas?

Tudo onça de grande formosura. Tem urujauara, tem jaguatirica, tem tapiraí-auára, tem maria-maria.

E moço, tem moço onça na Maloca das Onças?

Yagoa-Para, Iarnare-ete, tudo macharrão, tudo tigrado em suas roupas, pinima-pixuna, de tudo quanto é qualidade.
Tem rede boa de deitar lá na Maloca das Onças?
Tem, tem rede boa, rede limpinha.
E Tipai uu vai deixar eu deitar na rede?
Vou dizer assim pra tu: Se encoste aqui nesta rede e descanse, criança.

Uaara-Iñe-e queria palavra que amansasse seu coração pra ver se repousava de comprido o espírito já tão atribulado. Fingiu cochilar. Tipai uu se riu entredentes um riso triste, sabia que não haveria sossego, mas fingiu que acreditava naquela trégua pequena. Em cada pinta da malha de Uaara-Iñe-e estava desenhado um rosto. O rosto dela mesma quando Iñe-e, o de Caracara-í, de gente demais que lhe havia sido tirada e que lhe era cara a peso de um ouro que gente branca nunca saberia. Um ouro em tudo diverso do ouro deles. E Tipai uu via que, depois de tudo o que mostrara à menina, uma imensidão nova de rostos se figurando como lumes no azul-negro do céu distante, nascia na sua pele.

VII

Por fim, Onça Grande pegou Uaara-Iñe-e e levou ela num mergulho fundo em igapó. Quando já tava bem no profundo, onde não dava mais pra distinguir a ucuuba da samaúma e a bacaba do buritizeiro, a onça-menina pôde enxergar diante de suas vistas uma criatura feita de despedaçamentos e esperanças sendo ajuntada por meio de um trançado muito intricado sob o nome de um país.

Foi só aí que menina entendeu que oceano tinha era muita fúria dentro dele de ter virado tumba. Gente demais atravessando a Calunga Grande pra chegar até ali. Gente demais morrendo em tumbeiro. Sangradouro em demasia tingindo de vermelho aquele lugar. Sangue como o dela. Sangue de povo negro. Sangue dos pobres do mundo.

Era um sonho dantesco, ela escutou uma voz retumbar, e de novo e de novo e de novo. E logo não era uma única voz, eram centenas, milhares, que falavam como se todos os enxames de abelhas zunissem por sobre os ouvidos.

Menina viu parente seu acreditando em rei que dizia que, se povo guerreasse em guerra de branco, branco deixava de ambição em suas terras. Que rei e princesa assinariam papel de validade dando por findas as disputas do que era de povo de origem por direito. Viu guerreiros laçados na catingueira a mó de guerrear por força do rei e da princesa: *Quando a Pátria precisou, disse aos Fulni-ô, 'Ide, filhos, lutai!'*. E viu papel não ter serventia nenhuma, honra de papel não paga desperdício de árvore, que a vida das palavras dos brancos no papel é bem capaz de cair no chão por não ter sustança de memória.

Ela viu gente branca dirigindo suas máquinas de morte, contagiando de moléstia braba o espírito do povo da terra com o seu deus estrangeiro, seu lixo, suas mentiradas. Os motores queimando óleo, o gado invadindo tudo, a comida com gosto de veneno e cinzas.

Menina testemunhou as correrias. Mecê sabe o que que é uma correria? Nunca que ouviu falar? Correria é matança grande de povo de origem. Isso é o que é correria. No dia 4 de agosto de 1699, o bandeirante mestre de campo e líder do Terço dos Paulistas Manuel Álvares de Moraes Navarro foi responsável direto por matar mais de quatrocentos paiacus.

"Assim que cheguei perto do seu alojamento veio o Principal deles a falar me deixando toda sua gente metida nos matos, dizendo que queriam vir me fazer uma dança em festejo da minha chegada. E como eu viesse já acautelado para os seus enganos, me preveni contra eles. Vieram dançando todos armados, a metade pela minha vanguarda, e os outros pela retaguarda. E vendo que era chegado o tempo que me podiam avançar, fiz o sinal, que tinha dado a minha gente por senha para que investissem contra eles, o que fizeram com tanto valor, que todos chegaram a empregar seus tiros."
| Manuel Álvares de Moraes Navarro, em carta ao rei d. Pedro II |

Ela viu povo morrendo de disenteria. Morrendo de gripe e de descuido. A sarna do branco sujando a pele dos parentes. Não existe nem remédio de branco nem folha nem macerado de tabaco que sejam capazes de curar doença de branco, ãn-ãn.

Depois ela viu o grande chefe da nação estrangeira comendo da carne de uma irmã sua na janta, se refestelando todo, esganado, pois sim, os dedos pingando banha, o sangue da onça descendo salgado pelos cantos da boca, enquanto manducava pedações assim. Jaguara nova, Uaara-Iñe-e, apesar de ferida com aquele cenário olhou bem pra cara dele e guardou aquele nome. E apurando as ouças ela escutou a voz do homem saindo da garganta lá dele, uma voz moleirona como baba, um tom frouxo e repulsivo. Os dentes de muar dele enfileirados num riso ruim.

"A propósito, devo dizer que da carne do jaguar, apesar de não ter sido preparada convenientemente para a ceia, demonstrou ser bem gostosa. Eu a provei porque sempre me apeteceu a carne do cougar, e até lamentei não ter comido também a carne do leão africano, que deve ser excelente."
| Theodore Roosevelt, sobre as caçadas que fez no Brasil em 1913 |

E, na visão que empreendia, ela avistou também as cidades dos brancos. Seus mecanismos, suas luzes, suas taperas e favelas, suas misérias. Viu que, depois de irem acabando com as nações do povo de origem, foram pegando os nomes dos mortos pra botar nos novos lugares que se alevantavam. Como o caçador que bota na parede cabeça de bicho feito triunfo. Que arranca cabeça de menino e coloca dentro de um pote tampado. Que guarda cabeça de cera de criança, por mó de recordação, na mesa escura de madeira dentro do gabinete. Rua Guaicurus, rua Cayowaá, rua Caraíbas, Araranguá, Caetés, Gamboa, Boiçucanga, Ibirapuera.

Ela viu o seu povo se misturar com os outros povos, na língua e no sangue; mas, se uma alegria resultou disso, de igual modo também que o que derivou foi uma grande negação, o povo negando a si mesmo. Tudo é índio, ninguém é índio.

E o Brasil, essa igara.

Um tiro cala a voz da Amazônia. Chico Mendes, a morte anunciada.
| *Manchete, 1989* |

Assassinato de freira defensora da Amazônia, Dorothy Stang, completa 10 anos.
| *InfoAmazônia, 13 de fevereiro de 2015* |

Quer morrer, índio?
Quer morrer?

Assassinato de criança indígena no Maranhão não é caso isolado.
| *Terra, 10 de janeiro de 2012* |

Bebê morto com tiro na cabeça é um cruel símbolo da situação dos povos indígenas no Brasil.
| *El País, 28 de setembro de 2018* |

Se um indígena cortasse a garganta de uma criança branca o Brasil viria abaixo, diz mãe de criança indígena morta em Santa Catarina.
| *HuffPost, 7 de janeiro de 2016* |

Criança indígena desaparecida é encontrada morta.
| *R7, 29 de abril de 2013* |

Quer morrer, índio?

Quer morrer?
Xereu, xokó, munduruku, m'bya, wai vai, parintintin, parakanã, kaigang, xerente, tapayunas, juri, fulni-ô, xucuru, yanomami, maxakali, kanidé, xavante, arara, kambiwá, kariri-xocó, kapinawá, xetá, araweté, asurini, uru-eu-eau-wau...
Sob as botas dos soldados.

Comissão da Verdade: Ao menos 8,3 mil índios foram mortos na ditadura militar.
| Amazônia Real, 11 de dezembro de 2014 |

Em defesa do latifúndio, ditadura dizimou povos indígenas.
| Povos indígenas no Brasil, 30 de dezembro de 2014 |

CIA treinou polícia para agir contra indígenas no Regime Militar.
| Avispa Mídia, 22 de janeiro de 2016 |

Exército teria matado indígenas durante construção de BR-174.
| Emtempo, 10 de março de 2019 |

Quer morrer, índio?
Quer morrer?
Uaara-Iñe-e viu que sua vida e sua morte se davam por repetidas nas vidas e nas mortes de outras crianças, como a Dona da Caça havia dito. Muitas Iñe-es passando sob sua vista, muitas delas sem voz, outras delas de outros povos, meninas e meninos de outros tamanhos, de dessemelhantes parecenças, mas, un-un, morrendo tudinho de igual morte, em tempo muito curto de viver, tudo, tudo desperdiçado.

Pastora acusada de escravizar criança indígena em Goiânia é absolvida pela Justiça Federal — Menor foi mantida na casa da acusada entre maio de 2009 e novembro de 2010. Acusação diz que ela seria submetida a agressões e humilhações, mas juiz considerou que não há provas para a condenação.
| Mais Goiás, 10 de agosto de 2017 |

ONG fundada por futura ministra de Direitos Humanos é acusada de sequestrar crianças e incitar o ódio contra os índios.
| *O Sul*, 15 de dezembro de 2018 |

Quer morrer, índio?
Quer morrer?

Em 2019 vamos desmarcar a reserva indígena Raposa Serra do Sol. Vamos dar fuzil e armas a todos os fazendeiros.
| Jair Bolsonaro, presidente do Brasil, no Congresso Nacional em 21 de janeiro de 2016, quando ainda era deputado federal |

Índio! Preste bem atenção, que eu tô perguntando! Você quer morrer?

Povo Xucuru invade Pesqueira em lembrança da morte do Cacique Chicão.
| Encart Notícias, 20 de maio de 2015 |

Índios atacam caminhoneiros e saqueiam carga na BR-101.
| *Gazeta de Alagoas*, 2 de dezembro de 2017 |

Índios sequestram funcionários de construtora de Belo Monte.
| *O Globo*, 14 de março de 2016 |

Líder Xikrin ameaça funcionários da Norte Energia com arma indígena.
| *O Globo*, 10 de fevereiro de 2014 |

Uaara-Iñe-e saiu de dentro d'água com Onça Grande, Tipai uu. Uaara-Iñe-e não figurava mais nem como a menina que tinha sido nem como a onça nova em que há muito pouco tinha se transformado. Ela saiu do igapó como onça muito velha, onça que sabia ter reiva, e ódio suçuaraneando dentro dela andejava pelo caminho do sangue.

No Pará, bando é preso com seis cabeças de onça na zona rural.
| G1, 27 de agosto de 2016 |

Pandemia se alastra rapidamente entre povos indígenas.
| *Valor*, 2 de junho de 2020 |

Covid-19: Pandemia expõe vulnerabilidade dos povos indígenas do Brasil.
| *Correio Braziliense*, 22 de junho de 2020 |

Então, ela foi.

VIII

Quando onça sai pra caçar, presságio dela vai assanhando os bichos tudo do mato. Passarinho se agita em voo e canto, fica tudo aquelas nuvens de passarinho arreliado, cantando, avisando, em brabeza própria deles, que a dona evém. Esse é um sinal. E tudo, tudo no mundo ao redor manifesta que jaguara tá trabalhando, assuntando caçada. Até mesmo o vento modifica seu sopro. Quando cunum dá um grito rouco, estremecido, e depois mergulha, tibungando n'água, esse é outro sinal de que ela tá chegando. Já as árvores, elas todas silenciam, e é quase impossível escutar a respiração delas. E até peixe dá de nadar d'outra maneira quando onça pisa areia da beira. Já macacada, é diferente. Macacada vai urrando desigual, cada urro pavoroso que eles só utilizam pra esse aviso mesmo, e isso, pode botar fé, é senha certa que eles dão de que ela, a onça, anda pelas sombras, assondando bicho esquecido de si mesmo, bicho que não atenta pra algaravia, vacilante, que pinima-pixuna não perdoa é distração nenhuma.

Quando jaguara bota os olhos em presa e determina que aquela caça é dela, pra seu provimento, é como se tudo parasse. Nada mais se movimentando, porque onça tem, sim, esse poder dela, de cessar o motor que bota as coisas em curso no instantezinho antes de quando ela vai dar o bote. É um tempo muito curto esse, em que tudo paralisa, um tempo que não dá pra contar como a farinha que escorre da cuia pelos dedos da mão. Mas, embora seja curto, esse é também um tempo que se dilata. Que ora se espreme e que ora se estica. Mas não importa como seja, porque é, isso muito simples e muito direto, que a dona sabe dessas coisas, sabe da trançadeira que se exige dar no tempo quando é hora de caçada sua, e não é coisa que se ensine. É porque é. E, quando menos se espera, pro bicho entretido, cochilado de si, onça vai e zás!

    Já viu como é que onça morde? Ela morde de dois jeitos. Ela sai da moita em que tá acoitada pulando já nas costas do bicho, e daí ela vem com as mãos dela e gatanha ele, segurando firme, que é pra mó dele não conseguir escapar. Daí ela pode morder o bicho no cangote por trás ou no gogó pela frente e, como os dentes dela vão muito fundo, o bicho morre afogado no sangue dele mesmo. Ou ela aperta os caninos dela na cabeça do miserável, e os dentes vão entrando naquela carne fina, mas isso não para no osso, não. Quando chega no osso, aí é que ela aperta mais, e os dentões muito dos perfuradores vão nesse trabalho até alcançar os miolos, quebrando os ossos como se quebra um coco ou uma cabaça ao meio. É forte, viu?, a mordida da Dona.

    Aniba-aniba siriguanguê! Que Uaara Iñe-e saiu pra caçada.

IX

Onça avoa? Avoa desde que grande parelha de asas de uiruuetê se abram bem ali na junção do totó da onça com os braços. E foi que elas abriram assim, do cachaço de Uaara-Iñe-e, duas asas grandes, un-un, d'estamanhão. Coisa bonita de ver. Foi assim que ela voltou pr'aquela cidade do norte do mundo, Munique. Espiando tudo do alto, o mundo era mais bonito. Baleia, peixe grande do mar, andando em bando, rasgando o corpo da água e sereiando com bruta delicadeza. Os pássaros em seu voo de zagaia regressando com os peixes quase embainhados nos seus bicos. Iurukuás nadando em torno dos matinhos, seus cascos de pedra, elas feito ilhas animais.

Onça viu tudo isso e achou que era bonito e bom e prosseguiu fazendo novo caminho pelo céu, escolhendo dessa vez passar pelas montanhas grandes d'onde nasce aquele rio que fora amizade fina, do seu peito. Isar. O nome lhe trazia alento. Desceu na nascente, jogou fiozinho d'água das patas pra's costas. As duas foram só relembranças.

A menina está diferente, a mulher-rio falou, dando por si de que reconhecia aquela visita. A onça sorriu de volta com seus olhos gateados. Os dedos pequenos da água lhe fizeram cafuné. Onça, se dando por agraciada e satisfeita, tomou impulso pro voo. Isar nem disse palavra mais nenhuma, que de tudo ela lá tinha sabença.

Onça viu, do alto do seu voo, cidade grande de branco com suas fábricas, criança jogada na rua, vapor subindo com sua catinga de morte, viu lugarejo esquecido em pé de encosta, um pastor solitário arrastando seu cansaço, jangada descendo rio, navio atracando, um boi morto apodrecendo no capão, o vaivém do desassossego de vida de gente, criança nascendo, gente nova e gente velha morrendo. Onça via tudo, mas nada do que espiava desatinava ela do seu destino. Onça agora só queria mesmo era chegar.

Mas toda viagem dura o tempo que tem de durar, da saída à chegada. Não se encurta nem se encomprida ela. Mecanismo de viagem é de durar o tempo que precisa. Antecipação e atraso não comungam existência ali, na vera, e tampouco precisão. Antecipação e atraso são tipos de engano, essa areinha jogada nos olhos.

Quando a jaguara deu de chegar, Spix estava já perto de morrer. Ela até que farejou ele, mas dele não tinha sobrado mágoa nem reiva. Postou-se ali, ao pé da cama, quase que feito cão de guarda, desculpe a comparação, enquanto via a floresta dela tremer dentro dele que nem voragem. No sangue do homem tudo era cipó, folhagem, pium, igapé, pororoca, chuva de flecha zunindo pra tudo quanto era lado, uma perturbação. Onça ficou ali, olhando, esperando, velando ele. Até que uma hora a floresta, pá!, deu um sopapo nele, e o homem não se aguentou e morreu. Na horinha de morrer, ele pôde avistar, de muito longe, os olhos da onça acesos dentro de uma moita. Mas só foi isso mesmo que ele viu. Depois, pronto, tava morto.

Mas o outro branco, não. Do outro ela tinha injúria. E foi cercando ele por muito tempo, porque dele ela não se esquecia. Onde ele tava, ela tava assondando. Palavra de branco brotando no papel pra rei do Brasil, a sombra dela tava lá, escondida, conquanto ele achasse que tava escrevendo em sozinhez. Som de violino, bailado em casa pras moças e moços brancos, pinima-pixuna tava lá, dançando sua dança, toda faceira, envultadinha ela, tauá apara tauá, sua dança de onça. Ele falsificando história dela e de Caracara-í, e ela bafejando em cangote dele. Tudo muito frio, tudo muito calculado, que onça sabia de todas as contas que aquele um tinha com ela.

Mas se sabe que ronda que onça faz com presa que ela toma por escolhida é jogo no qual há de ter certa vertigem de feitiço. Caçada boa tem de ter esse elemento pra ser de grande valia, ãn-ãn. De modo que jaguara, pinima-pixuna, teve seu tanto de encantamento com o branco que ela caçava, e isso se dava quando percebia que, igualzinho ela, o homem amava buritizeiro, bacaba, pupunha. Que coquinhos de inajá, de jauari, de tucumã-açu estralavam em coração dele que nem as pintas que malhavam as costas dela. Que o facão das folhas de tudo que é qualidade de palma riscavam o olhar dele de enredamento. E ela dava de amar ele, de amor tamanho, quando ele se debruçava sobre as folhas e os frutos e as plantas todas da mata que saíam da mão dele pras lâminas muito finas de papel. Sondando o coração do inimigo, porém, a onça escutava ele dizer, sobre a menina que ela tivera sido e sobre o menino, companheiro de desventura seu, que o que ele fizera aos dois havia sido um ato maligno. A cada constatação dele sobre isso, à medida que a cabeça dele branqueava de velhice, amor dela diminuía, e o ódio se alembrava de subir aos olhos dela pra depois baforar nas ventas. Era ferida cutucada. Não havia perdão capaz de resgatar aquele homem.

E assim era que se dava tocaia de Uaara Iñe-e pra Martius. Que onça é toda amor e dente no cangote. Durou muito, mas ela sabia esperar. Durou nada, que ela era impaciente. Até que chegou o dia da onça. Manhã cedinho, ela se vestiu de branco, igualzinha a neve que caía por sobre a cidade. Despiu todos os grãos que pintavam sua pele de beleza. Naquela roupa que escolhera não havia nem rastro da malha bonita que era sua. Pintada, pintada era. Na pelagem e no coração. Mas não naquela ocasião. Porque, como havéra de ser, ela devia de estar bem dissimulada. Camuflada era a palavra.

Ele já não era o rapaz que havia sido. O corpo quente, a respiração custosa por demais, as juntas doloridas. Ao dar por si, já não estava em sua cama. Ele de novo na floresta, ele de novo no porto dos Miranhas, ele de novo lançando seu olhar pra ela, Iñe-e, menina pequena, cria de Tipai uu. E, ali, antes que ele abrisse a boca pra falar qualquer coisa pro tuxaua pai dela, ele percebeu que a menina crescia como coisa não natural. Cabeça se arredondando, ela de gatinhas ali, com patas crescendo diante dele, e ele sem ter pernas ou fôlego de correr, rabo se pronunciando do fim do espinhaço, menina não mais, Tipai uu como lhe fora dado ser em garras e dentes e pelo, ela enorme, ele pequenino, ela crescendo e crescendo até que sua boca fosse do tamanho exato de quebrar cabeça de branco, cada dentão que ui, que me morro, ele quis gritar, mas da boca dele não saiu foi nada, som nenhum, ele ali, muito sojugado, sim, molhado de mijo, sim, ouvido dele estourando num zunido que era o zunido de estar sendo estraçalhado. E morreu.

No túmulo do branco se escreveram as palavras bonitas dele, *Entre as palmeiras me sinto sempre jovem. No meio delas, ressuscito.* Mas, para isso, ele teria que ser onça, coisa que, por mais que tentasse, e nem tentou, nunca havéra de ser. Findado estava, caça que era.

X

Uaara Iñe-e se deu por saciada naquele 13 de dezembro de 1868. Abriu suas asas de uiruuetê, deixando pra trás a casa de Martius, onde por tanto tempo estivera. Respirou fundo o ar gelado daquele lugar e arribou no voo que era seu. Mas não foi muito longe, não, que, avistando a Residenz, ela tomou rumo pro jardim da corte, pousando na cumeeira do templo da deusa Diana, muito gatamente, delicada e cuidadosa, plantando suas patas nos ombros da Tellus Bavaria, a Diana regente daquele lugar. Foi aí que a jaguara deu seu rugido, e o som do rugido da onça se multiplicou por tudo que é lado, e ninguém sabia dizer que evento era aquele e de onde tinha vindo aquele atroado tão cheio de ferocidade rimbombando por todos os cantos. O rugido ecoando nas paredes, nos espelhos, nas pedras, no rio, na outra cidade que existe dentro do rio. E foi deveras um berro tão alto, que foi capaz de romper linha por linha as amarras que prendiam os fantasmas do seu povo àquele lugar, os espíritos das crianças que foram roubadas de sua terra se desprendendo da cidade e se ajuntando um a um na igara do céu, seus imensos olhos a luzir muito alegrinhos. O último a subir foi Caracara-í, cabeça sua posta de novo no lugar que lhe era devido, o mesmo jeito de irmão seu que ele tinha angariado e que pacificava seu coração. E ainda tão alto e grandioso fora o rugir dela que distendeu mesmo a linha do tempo e foi ouvido por uma moça, naquele mesmo jardim, muitos anos depois. Josefa, era seu nome, que à falta de melhor conhecimento, acreditou se tratar de um trovão o que era o rugido de Uaara-Iñe-e. Daí Onça Grande, Tipai uu, apareceu conduzindo igara pro caminho da lua, que era pra onde a barca tinha de ir. Tipai uu e Uaara-Iñe-e se olharam em reconhecimento e despedida, que onça-menina deu a entender que não podia partir com Onça Grande naquela viagem. Não ainda. E ela ficou lá, em Munique, trepada nos ombros da caçadora branca, incansável, treinada na prontidão, sem esquecer jamais.

"Contudo, o tigre não tinha morrido. Com o frescor da noite voltou a si, e arrastando-se, cativo de horríveis tormentos, internou-se na selva. Durante um mês inteiro não abandonou sua toca, no coração da floresta, aguardando com sombria paciência de fera que suas feridas curassem. Todas cicatrizaram, enfim, exceto uma, uma profunda queimadura no dorso que não sarava, e que o tigre enfaixou com grandes folhas.

"Tinha conservado da sua forma recentemente perdida três coisas: a lembrança viva do passado, a habilidade das suas mãos, que usava como homem, e a linguagem. Mas no resto, em absolutamente tudo, era uma fera, que não se diferenciava em nada de outros tigres."

| Horacio Quiroga, "Juan Darién" |

'Pia aqui, findou-se a precisão de ter de usar pele de gente, roupa que primeiro usei a mó de andar feito pessoa anda, dois pés por riba do chão, em debilidade de criatura que dessa existência por si se angaria. Por certo que fui Iñe-e caída de buritizeiro, roubada, desnomeada, depois Miranha, Isabella, Uaara-Iñe-e. Agora quero mais não, nem roupa nem nome. Nem esse arrazoado de palavras. Despossuo tudo de que já tive precisão, agora não mais.

Un-un, mecê se diz espantado porque por certo acredita que eu tenha armado tocaia, enganando mecê, mas não é? Mecê todo nhinhinhim do nhunhunhum, falseando. Dizendo que tenha eu bigodeado nessa trama toda e que, mesmo onça, não dava nem pra saber se era malha larga, malha miúda, pinima ou pixuna, jaguara palha ou jaguara preta, jaguaretê branca, troncuda ou pequena. Nem se era peixe ou pássaro ou gato, quem sabe? De se rir, uma coisa dessas, viu? De se rir! Traiçoeira, eu! Tenção minha é de onça. Sempre foi. Mas se mecê não viu, distraiu-se, tresmalhou-se, que havéra eu de fazer?

E saiba que não quero mais não também sua linguagem. Pode ficar com ela. Carecia dela pra mó de aliança. Agora, aliança tá desfeita. E eu, por derradeiro, vou retomar pra fala de onça, linguagem minha mesmo, por natural, xambicuena araririetê.

Que o que quero, mecê não haverá de me dar pela afeição que disse me ter, que eu sei. O que quero, corpo que foi meu, de Iñe-e, Miranha, Isabella, Uaara-Iñe-e. O que quero, corpo que foi meu sendo plantado na beirinha do Uapurá. Corpo meu retornado. Figuras minhas todas elas levadas de volta aos parentes. Eu sei, mecê não tem como de me dá esse obséquio.

Pensa que me importo? D'está. Hora dessas eu mesma pego e tomo de mecê no uso da mais fina força. Se prepare.

Interminável onça!

Aniba, aniba, siriganguê!

A respeito da construção da maloca

MADEIRAME DAS PAREDES E DO TELHADO

1. Mitos, relatos, palavras e sabedorias de povos originários ligados ao Brasil e territórios vizinhos foram transcriados e utilizados para a sustentação desta obra.
2. O mito de Niimúe é de origem do povo miranha.
3. São utilizadas palavras do vocabulário miranha, juri e nhengatu ao longo desta obra. Algumas palavras do vocabulário da onça são inventadas.
4. Os episódios de Juziñamui, do quebradão das antas e da tartaruga que chorava são referentes a narrativas miranha.
5. O complexo de Yurupari e seus rituais são comuns a vários povos, como os próprios miranha, os yukuna-matupi, tukano, kamayurá, entre outros.
6. A narrativa das pessoas de água que habitam os rios é comum em mitologias do mundo inteiro. Para esta obra, foram consultadas histórias dos povos miranha, juri e yanomami.

7. As canções sobre a coca e a yuca são de origem do povo cananguchal, bem como a frase "tabaco frio, coca doce", palavras do ancião chamado Kinerai.

8. As figuras do menino Djói, da menina Movaca e de Nutapá referem-se a um mito de criação tikuna.

9. A Constelação dos Quatro Macacos é um mito relativo à astronomia miranha e refere-se à Constelação de Orion.

10. A Casa das Onças diz respeito à iniciação xamânica do povo siona.

11. Relatos sobre a árvore da vida são comuns a vários povos pelo mundo. Nesta obra, foi utilizada a narrativa yanomami como referência.

12. É utilizado trecho do "Hino da Tribo Fulni-ô", de autoria do índio Almir Torres.

13. Ayahuasca.

TRANÇADO DE CIPÓ DAS PAREDES

1. *Belo Monte, anúncio de uma guerra*, documentário dirigido por André D'Elia, 2012.

2. Trechos do diário pessoal de Von Martius.

3. Relatos e observações de viajantes e missionários: Jean de Léry, Giovanni Pietro Bellori.

4. Trecho de "A metamorfose das plantas", poema de Goethe, em tradução de Elpídio de Toledo.

5. Trechos de cartas da rainha Frederica Karoline de Baden e do rei Max Joseph.

6. Trecho de *A donzela de Orléans*, de Schiller, em adaptação de Ruth Salles e tradução de Julia de Mello e Souza.

7. Trecho do poema "Navio negreiro", de Castro Alves.

8. Trechos de artigos e manchetes de periódicos alemães e franceses do século xix e manchetes de jornais, revistas e sites brasileiros do século xx.

9. Transcrição de anotações de livros de tombo eclesiásticos que registram o falecimento das crianças indígenas.

10. Litografias denominadas *Miranha* e *Juri*, na exposição Coleção Brasiliana Itaú, no Instituto Itaú Cultural.

11. Texto de parede da exposição Coleção Brasiliana Itaú.

12. Reprodução fotográfica de placa das crianças indígenas de autoria da artista Mirtha Monge.

13. Reprodução fotográfica da placa mortuária das crianças indígenas em bronze, de autoria de Johann Baptist Stiglmaier.

14. Compilação dos nomes dados à Pantera Onça por Linnaeus.

PISO DE CHÃO BATIDO

    Agradeço o trabalho dos inúmeros indígenas, antropólogos, escritores e estudiosos no Brasil e na Europa, que fundamentaram a pesquisa deste romance. E os esforços e a generosidade da tradutora e pesquisadora Marcia Huber, que investigou e enviou de Munique, na Alemanha, informações preciosas sobre o período em que as crianças indígenas denominadas Juri e Miranha viveram naquela cidade. Agradeço ainda as leituras generosas de Itamar Vieira Junior, Manuel Herzog, Ana Claudia Behrens, Adrienne Myrtes e André Balaio, entre alguns primeiros leitores. A Marianna Teixeira Soares, Ricardo Bolognini e Carlos Alexandre Costa, por acreditarem nas onças.

1ª EDIÇÃO [2021] 12 reimpressões

ESTA OBRA FOI COMPOSTA PELA SPRESS EM MERIDIEN E IMPRESSA
EM OFSETE PELA GRÁFICA SANTA MARTA SOBRE PAPEL PÓLEN DA
SUZANO S.A. PARA A EDITORA SCHWARCZ EM MAIO DE 2025

A marca FSC® é a garantia de que a madeira utilizada na fabricação do papel deste livro provém de florestas que foram gerenciadas de maneira ambientalmente correta, socialmente justa e economicamente viável, além de outras fontes de origem controlada.